MORI

MORI

Ffion Dafis

Diolch
Osian, Eleri, Rhiell,
Dad a Lis a Manon.

Argraffiad cyntaf: 2021

Delwedd y clawr: Manon Edwards

Rhif Llyfr Rhyngwladol: 978 1 80099 106 4

Dymuna'r cyhoeddwyr gydnabod cymorth ariannol Cyngor Llyfrau Cymru

Cyhoeddwyd ac argraffwyd yng Nghymru
ar bapur o goedwigoedd cynaliadwy gan
Y Lolfa Cyf., Talybont, Ceredigion SY24 5HE
e-bost ylolfa@ylolfa.com
gwefan www.ylolfa.com
ffôn 01970 832 304
ffacs 01970 832 782

Roedd gwrando arni'n piso yn troi ei stumog. Piso caled, hir oedd yn hitio'r dŵr fel piso buwch ar ddaear sych. Pryd fyddai hon yn dod i ben? Cyfrai'r eiliadau yn ei phen. Un deg un, un deg dau, un deg tri. Dychmygai'r aroglau cryf. Aroglau dynes ganol oed dlawd. Un deg pump, un deg chwech. Roedd hi eisiau chwalu'r drws pren a gafael ynddi gerfydd ei gwallt a'i llusgo allan i'r iard. Ei lluchio drwy'r giât a dweud nad oedd hi ei hangen hi eto.

Doedd Morfudd ddim yn siŵr ers faint roedd hi wedi teimlo fel hyn. Doedd Jano ddim wedi gwneud dim o'i le tro yma. Heblaw am biso'n rhy hir a swnllyd. A drewllyd. Oedd pob dynes dros ei phum deg yn drewi fel hyn? Roedd heneiddio yn ffieiddio Morfudd. Roedd yn casáu gweld y blew yn gwthio yn glystyrau drwy'r croen sych ar ei gên ac o dan ei thrwyn. Roedd gweld y pryfaid cop piws yn magu o gwmpas cefn ei choesau a'i fferau yn codi cyfog arni ac roedd arogli Jano a oedd brin bum mlynedd yn hŷn na hi yn arwydd o beth oedd i ddod.

Pam nad oedd Jano yn edrych ar ei hôl ei hun? Lle'r oedd ei hunan-barch? Roedd 'na ddeintyddfa Gwasanaeth Iechyd dda yn y dref. Doedd 'na ddim esgus y dyddiau yma i adael i bethau fynd mor bell. Roedd edrych ar y pigau melyn yn ei cheg fach yn gwneud i Morfudd fod isho rhoi slaes iawn iddi. Roedd *hi* yn trio ei gorau i edrych yn dda. Oedd, roedd yn mynd yn anoddach bob blwyddyn ac roedd yn rhaid iddi addasu ei dillad a lliw ei gwallt i siwtio'r newid siâp a chyflwr ei chroen ond roedd yn dal ymlaen ac yn fodlon gwneud y mymryn ymdrech ychwanegol i edrych yn ddeniadol.

O'r diwedd daeth y pisiad i ben a chlywodd Jano'n tynnu'r tsiaen. Cerddodd Morfudd o'r ystafell haul gynnes i sefyll o flaen y stof yn y gegin. Roedd hon yn ddefod ers blynyddoedd bellach ac roedd yn gwneud iddi deimlo'n bwerus. Roedd sefyll o flaen y stof yn gwneud iddi deimlo fel perchennog y tŷ. Hi oedd yn rhedeg yr hen dŷ ers i Dafydd ei gadael hi ond roedd ei bresenoldeb yn dal i lenwi'r lle. Hanner oedd yn eiddo iddi hi. Mali ei llysferch oedd biau'r gweddill.

Estynnodd Morfudd am yr amlen wen arferol a'i gosod yn llaw Jano. Gwenodd hithau. Gwên ffals oedd hi. Roedd pethau wedi chwerwi rhyngddynt ers misoedd bellach er fod y ddwy yn smalio.

Byddai'n gymaint haws talu i gyfrif banc ond roedd Morfudd yn amau nad oedd gan Jano gyfrif bellach ers iddi golli'r tŷ a'r car. Gafaelodd Jano yn yr amlen a'i rhowlio i mewn i rolyn fel y gwnâi bob wythnos. Roedd hyn yn corddi Morfudd. Dyma ei chyflog. Pam rhowlio y pum punt ar hugain yn ddigywilydd o'i blaen? Diolchodd Jano a gwenu eto drwy'r pigau melyn hyll.

Bu bron i Morfudd ddweud y geiriau oedd wedi bod yn ei phen ers cyhyd. Roedd gweld Jano'n syllu i'w chrombil yn ei gwneud yn flin ac yn ofnus ar yr un pryd. Roedd wedi bod mor agos droeon i ddweud wrthi am fynd i'r diawl ac nad oedd hi am barhau â'r cytundeb. Roedd wedi ymarfer y sgwrs olaf yn ei phen ganwaith ond bob tro y bu'n barod i ddweud mai dyma'r tro olaf y byddai ei hangen, roedd llygaid duon Jano yn ei hoelio a'i gwanhau.

Roedd 'na frwydr wedi bod yn dawel ferwi rhwng y ddwy er na fyddai'r naill yn iselhau ei hun i gydnabod y sefyllfa i'r llall. Byddai'r ornament ar y lle tân yn cael ei wneud yn symbol mud o'r tyndra mawr. Un yn ei droi at y wal a'r llall yn mynnu ei droi at y ffenest. Bob pnawn Gwener am dri munud wedi tri, byddai Morfudd yn mynd ar ei hunion o'r stof at y silff ben tân wedi i Jano gau'r drws. Gafaelai yn yr alarch gwydr drud brynodd Dafydd iddi fel iawn am ryw fistimanars arall. Er ei bod isho crogi'r aderyn â'i holl nerth a'i luchio'n deilchion ar y llawr, byddai'n troi ei big anghynnes at y papur wal. Am dri munud wedi hanner dydd bob dydd Gwener, byddai Jano yn ei droi at y ffenest.

Dyma'r drefn. Dechreuodd Morfudd amau ei bod yn mwynhau'r gêm. Rhywle yn nyfnder ei meddwl, roedd yn gwneud iddi deimlo'n fyw. Byddai cael gwared o Jano yn golygu cael gwared o'r gêm a doedd hi ddim yn barod i hynny eto. Câi Morfudd bleser afiach o chwarae gêm yr alarch ac er nad oedd neb yn ennill na cholli, rhoddai ryw gyffro bach yn ei gwaelodion ac fe deimlai'r gwaed yn llifo i'r llefydd anghofiedig.

Roedd yn ffieiddio bod unrhyw beth i'w wneud â Jano yn ei chyffroi fel hyn. Un waith, wrth bleseru ei hun yn yr ystafell haul ar brynhawn dydd Sul braf, roedd wyneb Jano wedi torri mewn yn hy i'w meddwl. Gorfu iddi dynnu ei bysedd o'i thanwisg a rhedeg i'r ystafell molchi. Roedd wedi sgwrio ei hwyneb â'r sebon sinamon drud i gael gwared o bob arlliw o'r ddelwedd ac agor potel arall o Sauvignon i olchi pob tamaid o'r darlun o'i phen.

Roedd Jano yn ymwybodol bod Morfudd am gael gwared ohoni ac fe roddai bleser mawr iddi sefyll o flaen y stof bob wythnos o flaen y ladi hwch yn disgwyl am y geiriau.

*

"So, nath hi sacio chdi heddiw?" fyddai cwestiwn cyntaf Tony bob prynhawn dydd Gwener wedi iddi gyrraedd adre.

"Na! Fethodd y fuwch fudr eto!" atebai cyn dadrowlio'r amlen a lluchio'r papurau i'r jar 'pres prynu car'. Ymhyfrydai'r ddau yn storïau Jano am yr alarch a'r gweithredoedd bach eraill a wnâi heb yn wybod i'w chyflogwr.

"O Jan, plis duda wrtha'i be nest di heddiw!"

"Gesha!" byddai Jano'n cellwair.

"Y *remote control*?"

"Give me some credit, Ton, for fuck's sakes! Dwi 'di symud mlaen o'r *remote* ers misoedd."

"Swapio'r llunia?"

"Na! Be 'di'r un peth nest di ddeud faswn i'm yn neud?"

"O, my effin good god, ti ddim?"

"Dwi blydi wel wedi, Mr Goodwin!"

"Ti'm yn gall, chdi!"

Yna byddai Tony yn gafael yn ei wraig fer ddiddannedd ac yn ei chusanu'n hir ac yn arw. Tynnai'r ddau yn ôl ac edrych ar ei gilydd cyn dechrau chwerthin yn afreolus.

Roedd y chwerthin yn datod y clymau tyn a oedd wedi eu llethu ers iddyn nhw golli'r cyfan. Roedd yn chwerthin cyntefig a rhydd. Yn y foment honno roedd 'na fuddugoliaeth fach oedd yn uno'r ddau, yn gafael yn gadarn ynddynt ac yn dweud, am eiliad, bod popeth yn iawn.

*

Daeth y geiriau'n agosach i gael eu poeri i'r aer heddiw nag erioed ond fe barodd yr hen wên ar geg Jano i Morfudd eu llyncu unwaith eto. Fe ddaw'r amser, meddyliodd.

Ar y dechrau, roedd prynhawniau Gwener yn arbennig. Roedd y tŷ yn lân a thaclus, roedd hi wedi ymlacio gan nad oedd rhaid coginio a byddai potel o win ddrud ar agor am bump o'r gloch yn ddi-ffael. Byddai Dafydd yn cau ei swyddfa yng Nghaernarfon am chwarter i bedwar ac yn teithio'r awr a phum munud am adref. Rhedai i'r siop win dda yn y dref i gasglu ei botel arferol, gollwng ei archeb yn y bwyty, agor y drws ffrynt, rhoi'r botel i'w wraig, rhedeg i fyny i newid ei ddillad a phlannu ei hun yn y gadair esmwyth fawr yn yr ystafell haul. Boed law neu haul, byddai'n edrych dros y dyffryn ac yn dweud: "Ew, dan ni'n lwcus, Mor. Mor lwcus!" Arferai Morfudd chwerthin ar ei chwarae ar eiriau tila.

Wrth edrych ar y gadair esmwyth a sylwi mai hanner awr wedi tri y prynhawn oedd hi, gofynnodd iddi'i hun a oedd hi'n rhy gynnar i agor y botel win. Bu'n cosi ei meddwl ers neithiwr. Cerddodd yn ôl i'r gegin ac eistedd ar ei chwrcwd o flaen yr oergell. Caws, dau domato, hanner pot o iogwrt plaen a'r botel win. Lluchiodd domato i'w cheg gan obeithio y pylai'r awch am yr hylif gwyn. Ni phylodd. Cyfrodd yn ôl o ddeg i un. Roedd hi'n cofio darllen mai saith eiliad oedd hyd pob crefu. Lluchiodd dair eiliad arall i mewn rhag ofn. Ni phylodd. Roedd ildio yn golygu poenydio mawr ond roedd y wefr o deimlo'r grawnwin yn suddo i'w gwythiennau, yn cyrraedd y rhan fach honno yn yr ymennydd blin oedd angen ei mwytho.

Byddai noethni heno. Byddai siglo a dagrau a lleuad.

O leiaf tydi Mali ddim yma, meddyliodd. Ni feiddiai pan oedd Mali yno. Rheswm arall am haeddu'r gwydr o'i blaen. Byddai Mali yn gallu bod yn frwnt. Byddai'n pigo ar unigrwydd Morfudd fel pe bai'n pigo hen grachen ddu. Pigo a phigo nes tynnu gwaed.

"Pam na 'nei di ymuno efo côr neu glwb llyfra neu wbath?" byddai'n harthio ati.

Gwyddai Mali yn iawn nad oedd Morfudd yn licio merched y côr na'r merched clyfar. Ond wyddai hi ddim am y stelcian. Wyddai hi ddim bod Morfudd yn parcio ei char yn y cysgodion er mwyn eu gwylio'n mynd i'w hymarferion yn y festri bob nos Sul. Ni wyddai chwaith am ei hyfdra'n gwisgo côt parka werdd ei gŵr a syllu i mewn drwy ffenestr y neuadd lle roedd y clwb llyfrau yn ymgynnull. Byddai'n eistedd ar yr un bonyn coeden y tu ôl i'r ffawydden fawr. Roedd tywyllwch hir y gaeaf yn ei siwtio i'r dim. Yn yr haf byddai'n gorfod meddwl am ffyrdd eraill o lenwi ei nosweithiau a diwallu ei hanghenion cudd.

Roedd Morfudd wedi ymlwybro yn y cysgodion erioed. Hyd yn oed pan oedd yn ferch fach, doedd hi ddim wedi gallu dawnsio yn y golau. Doedd neb yn gwybod am y sŵn yn ei phen. Dysgodd ei hun i'w anwybyddu. Rhywsut, roedd hi wedi sylweddoli bod ymddwyn fel y genod eraill yn gwneud bywyd yn haws. Pan y gadawai i'w hun fod yn hi, byddai pethau'n mynd o chwith ac fe gâi gerydd. Doedd hi erioed wedi deall pam bod yr athrawon yn ei dwrdio am ddweud y gwir.

Penderfynodd ei bod yn llawer haws dweud celwydd. Roedd yn casáu gwrando ar y genod yn siarad am eu doliau a'u dillad. Doedd hi ddim hyd yn oed yn gallu ffitio i mewn efo'r rhai clyfar oedd yn siarad am y byd. Gwell oedd ganddi eistedd yn fud yn gwrando ar y coed yn ysgwyd eu dail sych i'r gwynt. Er bod rhai o'r hogiau yn amlwg yn ei hoffi, doedd hi ddim wedi deall pam. Roedd hi'n gallu rhedeg yn gynt na'r un ohonyn nhw. Diwrnod mabolgampau oedd yr unig ddiwrnod lle roedd Morfudd yn disgleirio. Er hynny, ni ddaeth ei mam na'i llysdad i'w gwylio unwaith.

Roedd meddwl am y cyflymdra naturiol a oedd yn gymaint rhan ohoni ers talwm yn ei digalonni. Wrth iddi dywallt y Sauvignon sych i'w gwydr fe sylwodd ar y croen gwag gwyn oedd yn hongian yn hyll o gefn ei braich. Dechreuodd ei bwnio'n ysgafn. Pwnio a phwnio nes ei siglo'n flêr o un ochr i'r llall. Sut bod pethau wedi dod i hyn? Doedd y dosbarth ioga ddim yn ddigon bellach. Roedd rhaid chwilio am ddosbarth caletach. Gwasgodd ei bol rhwng ei dwy law a'i dylino fel pe bai'n gweithio'r bybls bach allan o does. Roedd rhaid iddi chwilio am sesiwn pilates neu sbin.

Eisteddodd wrth y cyfrifiadur. Gosododd y gwydr ar y *coaster* llechen. Gwyddai ei bod yn gwywo. Roedd yn llithro yn ôl i'r hen batrymau yn ei phen. Pe bai ond wedi gallu bod yn ddigon dewr i ddiswyddo Jano gynnau ond roedd yr hyder wedi hen bylu. Pam bod pob penderfyniad yn dal i greu gymaint o bryder?

Llowciodd Morfudd y gwin gan siarsio ei hun i beidio â phoenydio ei hun heno. Roedd hi'n nos Wener a rhaid oedd parchu hen draddodiadau. Er bod y botel wedi ei hagor fymryn cyn y pump o'r gloch derbyniol, roedd y ffaith ei bod ar fin chwilio am ddosbarthiadau ymarfer corff yn dileu'r euogrwydd am heddiw. Byddai yfory yn un poitsh meddyliol. Byddai'r pen a'r corff yn drwm a du ond pnawn 'ma roedd hi'n ifanc a rhydd.

Teipiodd y geiriau 'Pilates Meirionnydd' yn y blwch chwilio a daeth saith dewis i'r sgrin. Doedd hi'n sicr ddim isho mynd i'r un yn y dref. Doedd hi ddim isho chwysu o flaen genod y côr a chael ei hesgymuno o'r cymdeithasu wedyn. Doedd hi ddim isho gwrando arnyn nhw'n pifflan chwerthin a gwneud ystumiau tu ôl i gefn yr hyfforddwraig pan fyddai'n ynganu geiriau fel *entry* a *hole*. Na, byddai'n rhaid teithio ambell filltir er mwyn bod yn anhysbys. Nid mynd yno i wneud ffrindiau oedd hi ond i weithio ar y bloneg afiach oedd yn ei diffinio fel dynes ar lwybr unffordd at ganol oed.

"Ti'm yn meddwl bod y flows 'na'n rhy dynn i chdi?" oedd ei gwestiwn ar y ffordd i angladd ei gydweithiwr un tro. "Dim hogan ifanc w't ti rŵan, sdi. Dwi'm isho i bobl feddwl bo chdi'n trio edrych yn iau nag w't ti. Ma 'na rwbath trist am ferched fel'na, ti'm yn meddwl?"

"Oes. Ti'n iawn," oedd yr unig ateb cywir ar y pryd.

Drwy droedio camau bychain fe fyddai'r gallu i dderbyn yr heneiddio a charu ei chorff yn siŵr o ddod heibio unwaith eto. Ond am rŵan, roedd yr hen ansicrwydd yn dal yno.

Roedd y gwin yn dechrau dawnsio drwy'r gwythiennau a hen flinder y prynhawn yn pylu wrth i'r haul daro'r pistyll oer oedd yn llifo o'r botel i'r gwydr gwag.

Daeth manylion dosbarth Saesneg ym Mhorthmadog i lenwi'r sgrin. Byddai taith fach drwy'r mynyddoedd bob nos Iau yn gweddu i'r dim, meddyliodd. Golygai na fyddai'n rhaid iddi ddioddef Mali yn dod adref am y noson. Roedd y nosweithiau Iau yn fwrn ar Morfudd. Ar nosweithiau Iau roedd yn rhaid iddi fod yn wyliadwrus o'i hyfed a cheisio coginio rhywbeth a oedd yn deilwng o gael ei lyncu gan ferch dair ar hugain hollwybodus. Byddai dosbarth ar nos Iau yn golygu gallu cyrraedd adref yn hwyr ac osgoi'r siarad gwag poenus a oedd wedi mynd yn drech na'r ddwy ers misoedd.

Roedd y dosbarth yna yn siwtio i'r dim. Pwysodd y botwm bach ar y system gerddoriaeth. Roedd dawnsio ar ei phen ei hun yn un o hoff bleserau Morfudd. Ers i Dafydd fynd, gallai ymgolli'n llwyr yn y gerddoriaeth oedd yn ei ffitio hi. Dim ond cerddoriaeth glasurol y byddai Dafydd yn chwarae yn y tŷ a byddai'n wfftio wrth glywed Ela a Janis a Lleuwen.

Yn y blynyddoedd diweddar roedd hi wedi ailddarganfod cerddoriaeth Gymraeg. Er ei bod wedi casáu mynd i gigs i ganol y meddwon oedd yno i ffwcio ei gilydd a dangos eu bod o'r un llwyth, roedd cerddoriaeth Gymraeg wedi ei chyffroi ers iddi fod yn bymtheg oed. Roedd 'na rywbeth am glywed yr iaith yn cael ei thrin gan y rhain yn gwneud perffaith synnwyr iddi.

Teimlai mai hi oedd piau'r nos pan y clywai Adwaith a Gwenno ac Ani yn canu eu geiriau iddi.

Byddai'n aml yn teimlo gwawd Mali yn treiddio drwy ei chroen. Gwyddai fod Mali yn rhowlio ei llygaid. Na, doedd hi ddim yn rhy hen i wrando arnyn nhw. Roedd y merched yma'n sanctaidd iddi. Byddai'n anwesu pob gair a ddeuai o'u genau a theimlo pob curiad yn ddwfn yn ei chorff. Cyffyrddant ryw le ynddi na wyddai oedd yn bodoli tan ar ôl i Dafydd farw. Byddai'n eu chwarae yn uchel dros ei thŷ mawr unig ac yn udo fel ci. Byddai dagrau yn aml yn powlio i lawr ei gruddiau: "Awen, awen, awen... Clywed straeon hirfaith am y storm. Berw gwyllt y dorf yn wledd i'r blaidd. Amau pob anwybod, cestyll tywod."

Doedd hi ddim yn deall y geiriau yn iawn ond wrth i haul y prynhawn wthio'n haerllug drwy'r gwydr yn yr ystafell olau roedd yn dechrau teimlo awen gynnes yn gafael yn dynn amdani. Nid y Sauvignon yn unig oedd yn llacio'r ysbryd. Roedd y geiriau'n treiddio i'w bod wrth iddi wrando ar straeon hirfaith yn chwyrlïo'n storm yn ei phen a berw gwyllt y dorf o'i mewn yn wledd i'r blaidd anweledig a gysgai yn ei chalon ers i bopeth fynd ar chwâl. Hi oedd y castell tywod heno, yn amau pob anwybod ac yn toddi'n wlyb i'r môr mawr.

Siglodd yn ôl i'w sedd a syllu ar y sgrin o'i blaen. Roedd un lle ar ôl yn y dosbarth nos Iau. Ei lle hi oedd hwnnw. Llenwodd y ffurflen ar frys. Am y tro cyntaf ers sbel, roedd wedi gwneud penderfyniad, a hwnnw'n un da. Chwyrlïodd i guriad y gân yn ei chadair droi a gwthio ei hun ar yr olwynion metel o gwmpas y llawr pren drud. Roedd crio a chwerthin mor agos ynddi.

Ynghanol y berw dagrau a gwên daeth sŵn cyfarwydd i darfu ar ei sbri. Addawodd iddi'i hun na fyddai'n cowtowio i hwn mwyach. Roedd misoedd o ymatal rhag hysbysiadau'r cyfryngau cymdeithasol wedi dechrau mynd yn anos. Bu'r blynyddoedd o beidio cael eu cyffwrdd yn ffordd berffaith i fagu obsesiynau tawel Morfudd. Fe'u crëwyd yn arbennig ar gyfer rhywun fel hi. Heb orfod camu dros drothwy ei drws ffrynt gallai bicio i mewn ac allan o fywydau pobl eraill.

Gallai balu i mewn i fydoedd y merched rheiny roedd hi'n eu casáu. Treuliodd oriau'n cenfigennu at eu perffeithrwydd. Roedd yn genfigen a'i gwnaeth yn sâl. Gwyddai yn iawn bellach fod naratif y rhan fwyaf yn ffars. Chwarddai wrth edrych ar y lluniau perffaith a'r cyfeillachu ffals. Roedd y mentro yn ôl i'r gymuned rithiol wedi i Dafydd fynd wedi bod yn raddol ond bellach roedd hi'n gaeth gerfydd ei gwar.

Canodd yr hysbysiad yn uwch y tro yma. Camodd hithau oddi ar ei chadair a throi'r gerddoriaeth yn uwch. Doedd hi ddim am lithro i'r lle hwnnw heno. Ceisiodd ddileu Facebook droeon ond roedd y stelcian anhysbys wedi bwydo ei dychymyg.

Gwyddai'n iawn beth oedd merched y dref yn feddwl ohoni. Roedd yn hogan o'r tu allan a oedd wedi cael popeth ar blât. Hogan oedd yn gyndyn o gymdeithasu nac ymuno yn eu grwpiau clòs. Roedd y genod yma'n ei diflasu'n llwyr. Doedd ganddi ddim diddordeb yn eu clecs a'u nosweithiau meddwol. Er fod y bys yn cael ei bwyntio ati'n aml, roedd eu rhagrith yn ei ffieiddio. Gwyddai'n iawn fod mwy nag un yn y côr yn cysgu efo gwŷr ei gilydd. Roedd y tripiau rygbi a'r cynadleddau addysg yn esgusion perffaith am jymp bach ac ni allai ddychmygu rhywbeth gwaeth na charafanio mewn criw mawr efo cymdogion oedd yn ceisio goddef ei gilydd drwy'r flwyddyn. Dyma pam roedd wedi eu gwylio yn y cysgodion.

Yn araf bach, roedd eu straeon ffug wedi ei chorddi i'r fath raddau nes daeth rheidrwydd arni i ddilyn ambell un yn y nos. Daeth gwybod y gwir am fywydau eraill yn bererindod gudd. Roedd rhoi'r darnau at ei gilydd yn gwneud ei jig-so hi'n fwy cyflawn. Yn y gwybod amdanyn nhw roedd hi'n dod i werthfawrogi ei hun.

Peidiodd y gerddoriaeth ond roedd yr hysbysiad Facebook yn dal i wincio arni o'r sgrin. Caeodd y clawr yn glep a llenwi ei gwydr eto. Dechreuodd Lleuwen lifo'n un rhaeadr o'r bocs yn y gongl.

"Cadwn rywbeth at yfory, cadwn lygaid am y wawr. Mae'r byd yma'n chwythu ei blwc, dwi'n rhannu'r wybodaeth ar Facebook, ond fedra'i ddim cychwyn y chwyldro tan i ti hoffi fy ffoto. Mi fydd 'na garu, mi fydd 'na alaru..."

Dechreuodd Morfudd gydganu'n uchel dros y tŷ.

"Diolch am drio cysylltu, Diolch yn fawr am drafferthu, Ond Iesu lle ddiawl mae'r emoji sy'n dangos ein bod ni'n hiraethu?"

Siglodd fel pendil cloc a gafael yn gariadus yn y gwydr gwin. Wrth edrych i fyny drwy'r twll clir yn y nenfwd fe welodd y cymylau'n dod i mewn dros y mynyddoedd. Roedd dafnau glaw yn poeri ar y to. Byddai'n tywyllu'n gynt na'r disgwyl heno. Gallai'r hysbysiad Facebook aros am rŵan. Roedd y nos yn galw.

*

Doedd Morfudd erioed wedi deall pam bod dynion oedd dal yn cael rhyw efo'u gwragedd yn cael perthnasau cudd efo merched eraill. Am ryw reswm roedd hi wedi meddwl mai marwolaeth chwant a diffyg diddordeb mewn cyrff cyfarwydd oedd y rheswm am fynd i bori i gaeau glasach. Erbyn rŵan fe wyddai nad oedd hynny'n wir ac roedd yn ei siomi'n fawr.

Er hynny, roedd ffwcio mewn car yn y *lay-by* yn y coed yn fwy derbyniol i Morfudd na chael cysylltiad meddyliol. Roedd Morfudd wedi gallu maddau ffwc ar y dechrau. Roedd meddwl am ei gŵr yn llithro ei bidlan galed i dwll anghyfarwydd er mwyn diwallu ei had yn haws na meddwl am ddynes arall yn dod â'i phartner yn fyw drwy wrando a deall a thynnu'r gorau o'r un oedd i fod yn ei charu hi.

Safodd o flaen y drych hir yn y cyntedd a chodi llowciad olaf y botel i'w hadlewyrchiad ei hun. "Iechyd da, Mor," sibrydodd a gwenu. Anadlodd yn ddwfn a gadael yr aer cynnes i greu cwmwl blêr ar y gwydr o'i blaen. Cododd ei bys a darlunio llun calon yn y gwynder. Roedd geiriau Gwenno yn atsain o'r chwaraewr yn yr ystafell arall. Wrth i'r galon ar y drych doddi yn ddim, ymestynnodd am y gôt fawr gyfarwydd a dawnsio i'r diwn. Edrychodd arni ei hun unwaith eto a hoffi yr hyn a welai. Roedd yr hylif gwyn wedi cael gwared o'r crychau ar ei hwyneb ac roedd y cyhyrau wedi ymlacio i guriad y gân. Caeodd sip y gôt yn bwrpasol a syllu i'w llygaid glas oer a gadael i'r geiriau olchi drosti.

"Byw'r gorffennol ar dy gyfrifiadur, ond sdim ar ôl o'r hen adeiladau. Ai dyma'r dechrau? Paid, paid anghofio fod dy galon yn y chwyldro. Paid, paid anghofio fod dy galon yn y chwyldro."

"Paid, paid anghofio," meddai gan bwyntio ei bys i geryddu ei hun.

Doedd dim yn cyffroi Morfudd yn fwy na rhoi'r gôt werdd amdani a chamu i dywyllwch heb wybod yn iawn i ble y byddai'r nos yn ei harwain. Roedd y glaw yn gydymaith ac yn ffrind. Gwyddai na fyddai pobl yn cerdded eu cŵn mor aml yn y glaw a byddai lladron ffermydd yn fwy cyndyn o fynd i chwilio am beiriant newydd mewn mwd. Fe gâi'r tir iddi hi ei hun.

Roedd nos Wener yn noson dda i fynd i grwydro a gwylio. Byddai teuluoedd yn gwylio ffilm fel uned, cariadon yn cwcio i'w gilydd a gwŷr a gwragedd yn llacio gafael ar y tensiynau a oedd wedi bod yn berwi drwy'r wythnos hir. Anaml y byddai gŵr neu wraig yn llithro allan am ychydig oriau i gadw fflam arall ynghyn mewn lle nad oedd yn adref ar nos Wener. Roedd yn haws twyllo anwyliaid ar nosweithiau di-nod fel nos Lun neu nos Iau. Heno, byddai'n gwylio haenen dop bywydau pawb. Byddai'n rhaid mynd allan ar y nosweithiau di-nod i gael y stori'n llawn.

Doedd pobl y wlad ddim yn cau eu cyrtans. Roedd Morfudd o'r herwydd wedi gallu cuddio y tu ôl i goed mewn gerddi a phlannu ei phen-ôl ar waliau sychion hen i wylio a gwrando. Ni fyddai'n clywed eu sgyrsiau drwy'r waliau cerrig trwchus ond oherwydd y mynyddoedd a'r coedwigoedd, ymddangosai'r ffenestri amrywiol fel darluniau o'r oes a fu yn crogi ar waliau plastai ac amgueddfeydd. Symudiad y coed a rhuthr llygod bach i'w nyth neu lwynog yn sleifio o'r cytiau ieir oedd y cyfeiliant bob tro. Hynny a sŵn ei gwddf ei hun yn llyncu gwin coch y nos o'r fflasg yn ei phoced fewnol fawr. Byddai'n creu'r ddeialog yn ei phen.

Meddyliodd fwy nag unwaith am brynu ci. Byddai ci yn rhoi mwy o bwrpas iddi fod allan ynghanol nos pe bai'n cael ei dal. Dim ond dwywaith gafodd hi ei dychryn ar ei pherwyl cudd ac roedd dweud celwydd wedi bod yn hawdd iddi bob tro. Roedd cael mam mewn cartref hen bobl ar ochr arall y dref wedi dod yn gyfleus y tro cyntaf. Dywedodd wrth Bob Tŷ Mawr ei bod yn torri drwy'r caeau ar ôl cael galwad frys gan y cartref i ddod i weld ei mam. Eglurodd ei bod wedi cael dau wydriad o win ac felly wedi gorfod cerdded ar y lonydd cefn yn lle gyrru. Wedi i Bob waredu'n fawr a dweud wrthi y byddai o yn ei chludo'r tro nesaf, a hithau wedi diolch o galon iddo, mynnodd gerdded gweddill y daith yn ôl am adref a gwên fach slei ar ei hwyneb.

Roedd yr eildro yn anoddach wedi iddi gael ei dal ar dir uchel wrth y llyn ar ei ffordd yn ôl o Fferm y Tyddyn. Roedd y llyn yn anghysbell ac roedd un y bore yn amser od i fod yn crwydro'r ardal ar ei phen ei hun. Dychrynodd Wayne y pysgotwr o'i gweld yn cerdded heb olau na ffrind. Paldaruodd hithau am gi ei ffrind oedd ar goll a bod ganddi deimlad ym mêr ei hesgyrn mai yno oedd o. Wedi gorfod dechrau gweiddi 'Fflei, Fflei' a diolch iddo am wneud yr un peth, fe sgidadlodd adref yn meddwl mor dwp oedd Wayne.

Doedd hi ddim yn fodlon cyfaddef bod un tro posib arall.

Heno, gadawodd i'r gwynt ei harwain. Cododd ei hwyneb i'r awyr a gadael i'r dafnau glaw lifo dros ei chroen. Anadlodd yn ddwfn a gwenu wrth i'r diferion chwalu ei cholur yn nentydd bach tywyll i lawr ei boch. Roedd y gwynt yn gwthio'r canghennau tuag at y gorllewin. Syllodd ar yr onnen o'i blaen oedd ar fin ei harwain at y fferm gyfarwydd.

Roedd Heledd Ty'n Ffridd yn rhywun oedd wedi ennyn ei diddordeb ers iddi gyrraedd yr ardal. Roedd hi'n bopeth nad oedd Morfudd. Dyma'r Heledd a oedd wedi bod yn gyfrwys iawn yn ei bwlio bach plentynnaidd pan ddaeth Morfudd yn rhan o wead y dref. Roedd cael merch newydd tua'r un oed yn yr ardal wedi ei lluchio oddi ar ei hechel. Heledd oedd yr arweinydd. Heledd oedd y canolbwynt. Heledd oedd yn adrodd storïau a hi oedd yn cael gweddill y genod o'i chwmpas i'w dilyn fel cywion bach ar ôl eu mam falch. Doedd 'na ddim byd deniadol am Heledd ac o'r herwydd roedd hi wedi gorfod meddwl am ffyrdd gwahanol o greu ei lle unigryw ymysg ei chriw. Penderfynodd mai hi oedd y ffraethaf, y ddoniolaf a'r gryfaf o'r giang. Hebddi, fyddai noson yn ddim.

Roedd Heledd ar bob pwyllgor ac yn llywydd pob cymdeithas. Roedd hi hefyd wedi llwyddo i briodi un o ffermwyr cyfoethog yr ardal. Doedd ganddynt ddim yn gyffredin, ond beth oedd y broblem efo hynny?

Problem hynny oedd dynes ddosbarth canol ddiflas, ac roedd honno'n broblem gyffrous i Morfudd.

Wrth gael ei chario gan y gwynt a'r glaw roedd curiad calon Morfudd yn cyrraedd y lle cyfarwydd yna oedd yn rhoi cysur llwyr iddi. Caeodd hwd y gôt yn dynnach o gwmpas ei phen a gwylio'r ffwr ffug o amgylch ei hwyneb yn trymhau o dan y dafnau gwlyb. Roedd hi'n hen bryd cael gwared o'r gôt, meddyliodd. Doedd hi ddim yn ymarferol ar nosweithiau fel hyn. Ond câi wefr o wybod bod gan Dafydd ryw ran yn ei phranciau cudd.

Wrth gyrraedd giât drom Ty'n Ffridd arhosodd i weld ym mha ystafell oedden nhw heno. Pe byddai hi'n noson ffilm a thêc-awe byddai'r golau yn yr ystafell ganol ond roedd yn haws gwylio pan fyddent yn y gegin fawr. Fe wnaed bywyd yn rhwydd i Morfudd pan benderfynodd teulu Ty'n Ffridd wario ffortiwn ar chwalu waliau ac adeiladu estyniad gwydr yn y cefn. Galluogai hyn iddi weld yn glir drwy'r gegin ac i mewn i'r ystafell fwyta. Yno roedd y golau heno. Noson stêc a gwin coch oedd hi. Rhain oedd y nosweithiau difyrraf.

Daeth Morfudd yn fwy hy dros y blynyddoedd. Bu'n hynod ofnus yn y dyddiau cynnar a byddai ei chalon yn bowndian mor uchel fel yr ofnai i'r trigolion ei chlywed. Byddai'n arfer gosod ei nyth yn bell. Bron nad oedd yn gallu eu gweld o gwbl. Ymhen amser fe ddarganfu'r smotyn perffaith tu allan i bob tŷ, neuadd a chapel. Bellach roedd pob carreg a bonyn wedi eu dewis ar gyfer cael y sedd orau ar gyfer pob sioe.

Roedd hi'n mawr obeithio bod Heledd yn ei hwyliau heno.

Gosododd ei phen-ôl ar y garreg arferol yn y bwlch a gweld bod y ddau yn eistedd ar y cadeiriau gyferbyn â'i gilydd rownd y bwrdd. Roedd 'na un botel win wag ac mae'r llall yn hanner llawn. Gwenodd Morfudd eto. Nid noson hwyr fydd hon ond noson flêr.

Roedd y diffyg diddordeb yn ei gilydd yn treiddio drwy'r waliau. Roedd traddodiad o stêc bob ryw dair wythnos yn cadw'r celwyddau i fynd. Arferai Morfudd greu'r ddeialog rhwng y ddau. Doedd dim deialog i'w gwau bellach. Wedi ffug ganmol ei gilydd am eu cyfraniadau i'r pryd, roedd popeth wedi ei ddweud am y dydd. Doedd gan Heledd ddim diddordeb mewn gwybod am ei ddiwrnod o yn y mart ac yn sicr doedd o ddim isho gwybod am y newid diweddaraf i'r cwricwlwm na pha un o sopranos y côr oedd yn hwyr i'r ymarfer nos Fawrth.

Roedd hi'n amau ei bod yn gallu clywed cerddoriaeth yn y cefndir heno. Llenwai hyn fymryn ar y gwacter rhwng y ddau. Er yn dawel, roedd alawon cyfarwydd James Taylor yn llithro drwy'r cerrig. Alawon oedd yn lleddfu mymryn ar ei unigrwydd o.

Wrth i Heledd godi a chario'r platiau at y sinc roedd hi'n amlwg yn simsan. Byddai'n hoffi newid cerddoriaeth ei gŵr tua'r amser yma er mwyn chwarae ei ffefrynnau hi. Doedd heno ddim yn eithriad. Blasai Morfudd ddifaterwch y gŵr. Arferai'r ddau werthfawrogi eu gwahaniaethau. Roedd gwneud i'r naill wrando ar gân o ddewis y llall yn hwyl. Erbyn rŵan, roedd yn rheswm arall ar y rhestr hirfaith i gadarnhau na ddylent fod wedi priodi erioed.

Wrth i Heledd chwarae chwydfa godog o sioeau cerdd roedd o'n syllu yn syth drwy'r ffenest i'r nos. Cyffyrddodd ei lygaid â llygaid Morfudd. Ebychodd Morfudd yn dawel. Er y gwyddai na allai ei gweld, roedd moment fel hyn yn gwneud y nosweithiau yn beryglus ac yn werth chweil. Yn y momentau hyn roedd Morfudd yn treiddio yn ddwfn i eneidiau ei chymdogion ac yn teimlo eu hofnau a'u poen.

Nid oedd llygaid trist y gŵr yn gwybod dim am nosweithiau gwyllt ei wraig.

Roedd y wraig heno'n siglo'n araf i anthem gyfarwydd un o'r sioeau cerdd. Gafaelodd yn nwylo mawr ei gŵr a cheisio ei lusgo i'w draed. Roedd eu diffyg geiriau yn amherthnasol wrth i'r awydd corfforol amdano gryfhau yng ngwaddol yr ail botel goch. Doedd ganddo ddim amynedd heno. Agorodd botel arall ac eistedd ar gadair ddefnydd lwyd yng nghornel yr ystafell. Dilynodd hithau a'i geryddu am fod mor hen. Doedd o ddim isho'r ddrama heno.

Roedd lluniau Heledd ar Facebook yn portreadu teulu cytûn. Roedd y tripiau tramor a'r coctels dan y lloer yn ennyn cenfigen mewn ambell dŷ. Roedd cael plant llwyddiannus mewn prifysgolion da yn destun balchder ac roedd cael y balans yn iawn rhwng arddangos canmoliaethus ac ymhyfrydu swil yn sgil a berffeithiodd i'r dim. Roedd y lluniau cariadus ohoni efo'i gŵr yn dangos i bawb fod popeth yn iawn. Ond roedd Morfudd yn gwybod y gwir. Roedd Heledd yn chwarae 'fo tân.

Mewn stafelloedd ar wahân roedd y golau yn cael ei ddiffodd bob nos ond roedd y siglo awgrymog o flaen ei gŵr yn obaith o'r hyn y gellid ei gynnau. Er nad oedd y ddau wedi cysylltu'n feddyliol erioed, cynhaliwyd nhw gan y rhyw am sbel. Diflannodd hwnnw'n raddol a'i ddisodli gan chwerwder a difaterwch llwyr.

Mewn tŷ moethus yr ochr arall i'r dref roedd 'na ddyn arall yn gwylio'i wraig â'r un difaterwch hyll. Roedd ei feddwl mewn cilfach gudd yn y car lle'r oedd yn ffwcio gwraig ei ffrind bob nos Fawrth.

Syllodd y wraig honno ar ei gŵr diflas a gofyn pa mor hir y gallai ddioddef hyn. Daeth y dagrau a'r cega a'r strancio anochel i'r stafell sbâr. Edrychodd y gŵr at y botel wisgi fyddai'n ei gadw'n ddiddan tan yr oriau mân.

Beth welai Heledd wrth syllu i wyneb ei gŵr? A oedd eiliadau o wefr y gilfach yn hawlio'u lle yn ei chof? Dyma'r cwestiynau a yrrai Morfudd i wylio'n dawel a hoelio ei hun i'w sedd.

Agorodd y fflasg fach oedd yn y boced arferol a thywallt yr ychydig win coch oedd yno ers y daith gudd ddiwethaf. Rhoddodd yr hylif hyder iddi fynd ryw droedfedd yn agosach at y ffenest. Wrth gamu ymlaen, torrodd cangen fechan dan ei throed a deffro clustiau'r ci. Neidiodd Morfudd mewn braw a rhedeg i lawr drwy'r giât fawr ar waelod yr ardd. Wrth edrych yn ôl gwelodd Eifion yn camu at y ffenest i weld beth oedd ystyr y sŵn.

Chwarddodd o fod yn ddigon pell o'r tŷ ac edrych i fyny at y coed tywyll yn cael eu symud gan y gwynt. Roedd yr adrenalin a redai drwy ei chorff yn agor lle yn yr ymennydd oedd yn gwneud bywyd yn werth ei fyw. Er yn fyr o wynt roedd canghennau'r coed yn ei chymell yn ei blaen. Stopiodd yn stond ar ben lôn ei chartref a phlygu ei chorff i'r hanner i gael ei gwynt ati. Lluchiodd ei breichiau ar led a chwerthin eto. Er na welodd ddiwedd y sioe, gwelodd ddigon i wybod bod Heledd yn drist.

Roedd ei chyflymdra wedi ei synnu heno. Byddai'r dosbarth pilates yn cryfhau'r cyhyrau eto, meddyliodd. Gostyngodd yr hwd gwlyb oddi ar ei hwyneb. Cerddodd yn syth at y drych yn y cyntedd. Oedd, roedd hi'n brydferth heno. Wedi diosg y gôt sylwodd fod ei throwsus yn socian hefyd. Tynnodd pob tamaid o'r dillad gwlyb a'u lluchio ar lawr yr ystafell haul. Agorodd y drws a cherdded yn noeth i'r nos. Dechreuodd grio. Ni wyddai ai dagrau hapus neu drist oedden nhw. Doedd hi ddim yn poeni chwaith. Roedd y nos a hi yn un.

Yn y tŷ, roedd y gwahoddiad yn aros amdani. Y gwahoddiad fyddai'n newid ei byd.

*

Doedd gwneud ffrindiau erioed wedi dod yn hawdd i Morfudd a hyd yn oed pan y gwnâi ffrind newydd, doedd hi ddim yn gallu eu cadw'n hir. Roedd yn eu mygu a'u llethu a byddai ei natur o fod eisiau plesio yn eu gyrru i ffwrdd. Torrai ei chalon bob tro y byddai cyfeillgarwch yn dod i ben. Pan oedd yn blentyn, roedd hi'n eiddigeddus o'r merched rheiny oedd ynghanol pawb a phopeth. Byddai'n eu gwylio'n ofalus i geisio deall beth oedd y gyfrinach. Roedd bod yn llawn bywyd yn rhan o'r apêl, roedd yn siŵr o hynny. Heblaw am ei dawn i redeg yn gyflym a churo'r bechgyn yn y gemau corfforol, doedd ganddi ddim byd arall i'w gynnig. Roedd geiriau yn mynnu dod allan o'i cheg yn anghywir ac er ei chyflymdra, hi oedd un o'r rhai olaf i gael ei phigo ar gyfer unrhyw dîm wrth i'r merched ddewis eu ffrindiau gorau bob tro.

Ffrind gorau oedd yr hyn yr awchai amdano fwyaf. Rhywun

fyddai'n ei gwahodd am de ar ôl yr ysgol neu ofyn iddi ddod i'r dref ar bnawn Sadwrn. Ond doedd y gwahoddiadau byth yn dod. Un tro roedd un o'r genod wedi dod â gwahoddiadau parti mewn amlenni aur i'r ysgol. Cafodd pob merch yn y dosbarth un ar ei desg heblaw amdani hi. Doedd hi ddim yn medru deall pam. Roedd wedi crio am ddyddiau wedi'r gic. Gwyddai nad oedd ei dillad mor lân â'r lleill ond nid ei bai hi oedd hynny.

Byddai felly'n syllu o'r cysgodion. Roedd rhaid bod 'na rywbeth o'i le arni. Byddai'n gwylio ac yn dod i ddeall sut i fod yn boblogaidd. Byddai'n dysgu sut i ddweud y pethau iawn a denu pobl i sylwi arni. Roedd y lleill i gyd yn ffeindio eu criwiau. Roedden nhw'n ffurfio'n glystyrau clòs wedi eu clymu gan eu diddordebau a'u dirmyg at eraill.

Ac yna daeth Jess.

Fe gerddodd y ferch gwallt cyrliog tywyll i mewn i'r dosbarth fel petai wedi bod yno erioed. Roedd ei phresenoldeb yn drydanol. Wedi i'r prifathro egluro ei bod yn ddisgybl newydd o ysgol arall, gwyddai Morfudd mai hon fyddai'r ateb. Gan fod 'na gadair wag wrth ei hochr hi, fe gerddodd y dywysoges yn dalsyth a gosod ei bag ar y bwrdd o'i blaen.

"I'm Jess, who are you?"

"Morfudd."

"Never heard that name before."

"I hate it."

"I love it. What a name. We're going to be friends."

A dyna'r dechrau ar y tor calon.

Daeth y ferch newydd yn frenhines y cwch gwenyn ar amrantiad. Roedd ei phryd a'i gwedd yn sefyll allan. Ynghanol y crwyn bach gwyn Cymreig, roedd y ferch o dras Asiaidd yn ennyn diddordeb. O fewn oriau, roedd y genod i gyd yn mwmian o'i chwmpas, pob un am y gorau yn ceisio cerfio eu lle yn ei chalon fach. Ond doedd Jess ddim yn chwarae'r gêm. Roedd hi'n arnofio uwchben eu tonnau ffals o ysu gwan.

Roedd Jess wedi ei dewis hi. Gallai weld drwy'r lleill yn syth. Roedd hon wedi cael ei haddoli erioed ac yn ddigon hyderus i eistedd yn ôl a gweld y gyflafan yn datblygu o'i blaen. Roedd hi'n cael boddhad o dorri crib y merched cryf efo'i llonyddwch a'i diffyg geiriau. Roedd yn gwneud penderfyniadau dewr ac yn gwrthod plygu i'r drefn. Ac roedd ganddi ddiddordeb yn Morfudd.

Y misoedd cyntaf wedi i Jess gyrraedd yr ysgol oedd misoedd hapusaf bywyd Morfudd. Cafodd wahoddiad am de a mynd ar y bws i'r dref efo'r ferch a sylwodd arni hi am y tro cyntaf. Pan gafodd wahoddiad i aros dros nos, gallai fod wedi byrstio yn y fan a'r lle.

Dechreuodd brynu anrhegion i Jess am fod mor ffeind. Fe gipiodd bâr o glustlysau gwyrdd ei nain i fynd efo'i llygaid gwyrdd hardd. Ysgrifennodd negeseuon bychain a'u llithro i'w bag cyn diwedd y pnawn. Rhyw ddyfyniadau bach oedden nhw mewn llyfr o eiddo ei mam: 'A real friend is one who walks in when the rest of the world walks out' a 'A sweet friendship refreshes the soul' neu 'True friends are always together in spirit'. Doedd hi ddim yn siŵr a oedd Jess yn eu gwerthfawrogi gan nad oedd hi'n crybwyll y peth ac roedd hithau'n rhy swil i ofyn. Roedd eu sgwennu'n gwneud iddi deimlo'n dda.

Ymhen ychydig fisoedd ymddangosodd Jess yn oeraidd a phenderfynodd Morfudd ysgrifennu llythyr ati yn gofyn a oedd rhywbeth yn bod. Rhestrodd y troeon roedd hi wedi ei gadael i lawr a datgan ei hymroddiad llwyr i'r cyfeillgarwch.

Datganodd mai ei phrif bwrpas ar y ddaear oedd ei gwneud hi'n hapus a'i gwarchod rhag y merched drwg oedd yn wenwyn pur. Roedd y llythyr yn gofnod o'r amseroedd hapus. Amgaeodd luniau a dyfyniadau.

Pan gerddodd i mewn i'r dosbarth Cemeg a gweld clystyrau o blant wedi ymgynnull o gwmpas y llythyr yn chwerthin ac yn dyfynnu tameidiau gwyddai fod Jess wedi ei bradychu. Rhuthrodd i'r tŷ bach a chwydu ei chinio i lawr y crud porselin. Eisteddodd ar lawr y ciwbicl yn siglo yn ôl a blaen gan afael yn dynn yn ei phengliniau. Rhedodd y dagrau i lawr ei bochau a gwlychu ei choesau gwyn. Roedd hyn yn waeth na dim a brofodd erioed ac roedd y gwewyr yn ei thorri'n ddarnau mân ar y teils.

Pam bod hyn yn digwydd? Roedd wedi rhoi popeth i Jess. Hi oedd wedi ei gwarchod o'r eiliad y daeth i'r ysgol. Roedd wedi ei charu a'i chefnogi'n llwyr.

Dechreuodd ffonio ei chartref yn ddidrugaredd. Byddai mam Jess yn ateb gan ddweud nad oedd hi adref er bod Morfudd wedi gweld y golau yn ei hystafell wely funudau ynghynt.

Daeth Morfudd adref un diwrnod a darganfod tad Jess yn eistedd ar y soffa gyferbyn â'i mam a Geoff. Beth oedd wedi digwydd i Jess? Oedd hi'n iawn? Cafodd ei gyrru i'w hystafell wely tra roedd sibrwd dwys yn mynd rhagddo yn yr ystafell oddi tani. Wedi iddo adael, cafodd slaes dros ei hwyneb. Anwybyddwyd hi gan ei mam a Geoff am ddyddiau ac roedd ganddi ofn gofyn beth oedd yn mynd ymlaen. Byddent yn gweiddi arni yn lle trafod a gadael bwyd ar y bwrdd iddi cyn mynd i ystafell arall. Bwytaodd hithau'r brechdanau a'r creision mewn tawelwch llwyr.

Cafodd Jess ei symud i ddosbarth arall ac er nad oedd hi'n

fodlon edrych arni yn y coridor, gwyddai Morfudd mai'r lleill oedd wedi eu gwahanu. Roedd y merched eraill wedi treiddio i'w phen a'i gwenwyno. Gallai weld y llygaid gwyrddion trist yn edrych arni o gefn y ffreutur. Roedd y llygaid yn erfyn arni i'w hachub rhag y gelyn. Er na allai ofyn hynny ynghanol y disgyblion eraill, roedd yn amlwg i Morfudd bod rhywun arall yn ei rheoli. Gwyddai ei bod hi'n wystl i rywun a'i gorchwyl oedd cysylltu efo hi mewn ffordd gudd na fyddai'n dychryn y rhai o'i chwmpas.

A dyna ddechrau ar y llythyrau a'r cardiau dienw. Roedd hi'n bwysig i Morfudd bod pob un yn edrych yn wahanol rhag i rywun ei hamau. Aeth ar y bws i'r dref a phrynu amlenni o bob lliw a chyfuniad o feiros a phinnau ffelt a gliter gludiog. Byddai'n eu postio o flychau post amrywiol o gwmpas y sir. Teithiodd ar y bws o Gaernarfon i Landudno a neidio allan i bostio pan welai flwch post. Roedd hi'n ddigon clyfar i ddefnyddio llythrennau bras bob tro.

Gyrrai gliwiau bach iddi yn ddyddiol i brocio ei chof am yr holl amseroedd da. Geiriau bach neu frawddegau a fyddai'n gwneud i Jess hiraethu amdani.

Wrth iddi esgyn grisiau'r bws am y trydydd Sadwrn yn olynol, gwelodd ei mam yn sefyll y tu ôl i gaban y gyrrwr. Roedd ei llygaid yn pefrio. Y tu ôl iddi roedd dyn a dynes mewn lifrai swyddogol. Dywedodd y ddynes fod 'y gêm ar ben' ac eglurodd Morfudd nad oedd hi'n chwarae gêm. Ceisiodd egluro am y gelynion a oedd yn ei gwahanu hi a Jess ac mai ei hachub rhagddyn nhw oedd ei hamcan.

Doedd y swyddogion ddim am glywed ei hochr hi. Roedden nhw'n benderfynol mai gwneud bywyd Jess yn waeth oedd hi. Doedd neb yn fodlon gwrando. Fe'i gorfodwyd i siarad efo seiciatryddion addysg a phobl a gredai eu bod yn ei deall yn iawn. Dim ond y lleuad oedd yn gallu gwneud hynny.

*

Er iddi ddisgwyl cael teimladau tywyll ar ôl bod yn gwylio Heledd, fe ddeffrôdd Morfudd yn llawn egni. Roedd y noethni o dan y lloer wedi plannu hedyn cyntefig yn ei chrombil ac er y gwin a yfodd, roedd ei phen yn glir a llawn syniadau. Roedd y dosbarth pilates yn rhywbeth i edrych ymlaen ato a'r boddhad o wybod bod Heledd Ty'n Ffridd yn dal i fyw celwydd yn ei llonni.

Doedd hi ddim yn poeni nad oedd strwythur i'w Sadyrnau. Doedd neb llawer yn gweithio ar foreau Sadwrn felly pam teimlo'n euog am wneud dim? Pan fyddai Mali adref, byddai'n creu sefyllfaoedd dychmygol er mwyn ymddangos yn normal fel pawb arall. Byddai'n dweud celwydd am bicio i'r ganolfan arddio gyfagos neu i'r archfarchnad ddrud i brynu cynhwysion ar gyfer pobi cacennau i'w mam yn y cartref.

Heddiw, gallai ymlacio gan wybod bod y byd o'i chwmpas yn ymlacio hefyd. Gallai aros yn ei gŵn nos drwy'r dydd a gwylio hen ffilmiau. Camodd i'r gawod a throi tymheredd y dŵr i'r eithaf gan osod ei phen-ôl i'r rhaeadr boeth. Rhyfeddai erioed at y peli coch a ffurfiai ar ei chroen wrth i'r gwaed ruthro i'r wyneb o dan y dŵr berwedig. Gallai sefyll oddi tano am funudau lawer tra bod pob dafnyn yn llosgi ei damaid bach ei hun. Roedd bochau ei thin yn borffor. Trodd yn ôl a gosod ei bol blonegog yn y llif. Gafaelodd yn ei stumog wrth i'r stêm godi'n flancedi a gwylio'r croen yn troi o wyn i binc i goch a phiws. O na bai'n gallu llosgi'r bloneg i ffwrdd. Hollti drwy'r croen ac i mewn i'r groth. Llosgi'r tiwbiau a'r wyau a'r celloedd diwaith. Eu crebachu'n ddim.

Cyn llithro i'r mannau tywyll, cofiodd ei bod yn hapus heddiw. Camodd o'r gawod gan edmygu'r lliwiau ar ei chorff. Lluchiodd liain trwchus drud o'i chwmpas a thyrban fflwff ar ei phen.

Wrth agor drws yr ystafell molchi daeth rhywbeth i daro'i ffroenau. Caeodd ei llygaid a sefyll yn stond. Beth oedd yn mynnu llenwi'r aer? Ni allai ei ddiffinio. Gwyddai er hynny nad oedd yn aroglau braf. Roedd Jano wedi symud y sbwriel a'r biniau bwyd i'r cefn bore ddoe ond roedd 'na rywbeth o'i le. Cafwyd problem tamprwydd yn y tŷ ers blynyddoedd ac er bod Dafydd wedi ceisio gwneud yr hen simdde'n ddwrglos, roedd dŵr yn mynnu darganfod llwybrau cudd i mewn drwy'r grât gan greu yr un aroglau a oedd yn arfer bod yn nhŷ ei nain ers talwm. Ond nid hynny oedd hwn. Roedd hwn yn waeth.

Cofiodd am yr hen dŷ bach yn y cefn oedd byth yn cael ei fflysho. Fe allai dŵr llonydd fynd i ddrewi, meddyliodd. Wrth gerdded tuag ato, fe bylodd yr aroglau. Cerddodd yn ôl am y gegin ac archwilio'r cypyrddau i gyd. Roedd popeth yn lân a dim byd yn blocio'r sinc. Gobeithiodd mai rhyw ddraen oedd wedi ei flocio gan ddail ac wedi troi'n slwj. Byddai'n archwilio ar ôl brecwast.

Wedi berwi dau wy a thywallt pot mawr o goffi da rhoddodd ei phlât ar y ddesg wrth y cyfrifiadur yn yr ystafell haul. Cofiodd am yr hysbysiad Facebook. Doedd ganddi ddim cannoedd o 'ffrindiau' fel rhai, ond roedd ganddi ddigon i ddiwallu ei hanghenion hi.

Mewngofnododd a sylwi ar y 'Cais ffrind'. Prin y digwyddai hyn. Pwysodd y blwch priodol a sbonciodd y llun ar y sgrin.

Dyddgu Lloyd Smith. (D.D.)

Syllodd Morfudd ar yr enw. Roedd rhywbeth yn gyfarwydd ond gwyddai'n syth nad oedd yn ei hadnabod.

A oedd hi wedi clywed Mali'n siarad am Ddyddgu erioed? Caeodd ei llygaid a rhowlio ffilm ei chof yn ôl drwy'r blynyddoedd "Dyddgu Lloyd Smith," meddai drosodd a throsodd. "Dyddgu Lloyd Smith." Roedd yna deulu o Smithiaid yn y dre. Doedd hi'n sicr ddim yn nabod un o'r to yma bellach. Pe byddai wedi bod yn y tŷ efo Mali, gwyddai y byddai wedi cofio hon.

Roedd ei gwallt yn dduach na du. Bron yn las. Gorweddai'n fwng trwm o gwmpas ei hwyneb main. Roedd y minlliw yn goch a'r bronnau wedi eu gwthio at ei gên. Ar ben uchaf y fron dde roedd tatŵ o'r llythyren 'C'. Er cymorth y ffilters, roedd y bagiau tywyll o dan ei llygaid yn gryfach nag unrhyw dric.

Nid wyneb i doddi i'r cefndir fel ei hwyneb hi oedd hwn. Doedd dim llinyn amlwg i glymu hon â hi. Pam felly bod ei henw yn eistedd ar ei thafod mor dda? "Dyddgu Lloyd Smith," dywedodd eto. "Dyddgu. D. D. Dydd. Dyddgu a Morfudd. Morfudd a Dyddgu."

Morfudd a Dyddgu.

Safodd. Gwyddai ei bod wedi clywed y ddau enw yma efo'i gilydd yn rhywle. Ebychodd yn rhwystredig.

Neidiodd yn ôl i'w chadair a theipio i mewn i'r blwch chwilio ar y sgrin o'i blaen.

'Morfudd a Dyddgu.'

Daeth yr enw Dafydd ap Gwilym i oleuo'r sgrin. Hwn oedd y bardd y gorfu iddi ei astudio yn yr ysgol. Doedd hi erioed wedi deall ei Gymraeg ond bu'n destun gwawd mewn gwersi droeon gan mai Morfudd oedd un o wrthrychau ei serch. Chwarddodd y dosbarth yn greulon pan astudiwyd 'Morfudd fel yr Haul'. "Morfudd fel nos ddu *more like*!" gwaeddodd un o'r bechgyn yn y cefn cyn i'r dorf wichian fel un.

Ond roedd gwrthrych arall i'w serch. Dyddgu. Doedd hi ddim wedi clywed yr enw nes gorfod astudio'r cerddi ac yn sicr doedd hi ddim wedi cyfarfod neb o'r fath enw erioed. Dyna pam roedd wedi taro tant. A dyma hi'n syllu rŵan ar yr enw od a chyfarwydd. Ai dyma pam y cysylltodd Dyddgu â hi? A oedd wedi teimlo tynfa at Morfudd oherwydd ryw gyfeiriadaeth lenyddol hen?

Taniodd dychymyg Morfudd yn syth. Roedd yn rhaid bod 'na ystyr i hyn. Roedd yn arwydd o rywbeth, roedd hi'n siŵr o hynny.

Teimlodd ias yn lledu drosti a gwelodd ei bod yn dal i eistedd yn ei lliain llwyd. Roedd croen gwyddau wedi ffurfio'n frith dros ei chroen a rhedodd i'r ystafell wely i wisgo ei dillad glân. Efallai mai o flaen y cyfrifiadur y byddai heddiw wedi'r cyfan. Wrth gerdded yn ôl i'r ystafell haul, daeth chwa arall o'r aroglau hyll. Byddai'n rhaid i'r draeniau aros am chydig oriau. Roedd yna botensial o gyffro yn disgwyl amdani ar y sgrin.

Yn sicr doedd Dyddgu ddim yn swil o ddangos ei chorff. Roedd bron pob llun yn ei dangos yn ystumio mewn sgertiau byrion bach a thopiau a ddangosai ei bra. Roedd wedi dyweddïo efo Charlie ac yn byw ym Mhen-y-groes mewn fflat ynghanol y dref. Roedd yn rhestru 'Carer in Tan Mynydd Care Home' fel un safle gwaith, 'Black Horse Pub bar worker' fel un arall a 'Groes Bakery' fel yr un diweddaraf. Doedd dim o'r rhain yn gyfarwydd i Morfudd. Er twrio drwy gannoedd o luniau, doedd dim yn taro deuddeg yno chwaith.

Roedd hi'n llwytho lluniau bron yn ddyddiol ac yn byw ei bywyd ar y we. Hunluniau rhywiol ac yfed efo ffrindiau oedd ei byd. Ystumiai'n awgrymog drwy'r sgrin nes gwneud i Morfudd deimlo'n anghyfforddus bron. Nid Dyddgu Dafydd ap Gwilym mo hon.

Roedd hi'n anghenus. Sylwodd Morfudd ar yr ofn a redai fel cerrynt o dan ei chroen. Gwyddai ei bod yn cael ei thynnu i'w byd.

Yn hytrach na gyrru neges yn gofyn pwy oedd hi roedd am ei gwylio o bell a disgwyl iddi ddatod ei byd yn araf iddi. Roedd rhamant yr enwau wedi ei swyno'n syth a bregustra ei lluniau a'i geiriau wedi ei hoelio i'w sedd. Fel y gwyddai Morfudd yn iawn, dim ond haen uchaf a rannwyd ar sgrin. Roedd y gwir yn llechu mewn haenen arall yn ddwfn iawn ym mhawb.

*

Am un o'r gloch bob prynhawn dydd Sadwrn, roedd Jano yn mynd draw i'r Off Licence ar gornel y sgwâr i bigo'r caniau ar gyfer yr hyn oedd yn weddill o'r penwythnos. Erbyn chwarter wedi un, byddai Tony a hi yn eistedd ar y soffa yn yr ystafell fyw ac yn clincian y ddau gan cyntaf at ei gilydd ac yn datgan: 'Iechyd da, *lord and lady*!'

Er bod arian yn brin, roedden nhw wedi gaddo i'w gilydd na fyddent yn sgrimpio ar y ddefod Sadyrnaidd a olygai eu bod nhw'n rhoi eu traed i fyny, anghofio am waith a phryderon y byd ac yn yfed drwy'r prynhawn. Er y byddai cael presenoldeb ei mam ar ddydd Sadwrn efo'r tri plentyn ifanc yn gymorth garw i Shannon, merch Jano, gwyddai nad oes croeso iddi yn y fflat ar y prynhawniau cysegredig hyn.

Dim ond un tŷ roedd Jano yn ei lanhau ar foreau Sadwrn ac roedd hwnnw'n un hawdd. Bron nad oedd angen neb i fynd yno o gwbl. Nid fel tŷ Morfudd. Roedd lloriau pren drud tŷ Morfudd a'r holl wydr tal a'i simneiau cerrig yn fwrn ar

Jano ac roedd y tensiynau amlwg rhyngddynt yn gwneud ei phrynhawniau Gwener yn amhleserus a hir. Nid ei lle hi oedd codi nicyrs budr oddi ar y lloriau neu grafu llwydni o weddillion hen goffi mewn cwpanau. Roedd Morfudd yn ceisio cuddio poteli gwin gwag oddi wrthi hefyd ond roedd yn gwybod am y cuddfannau i gyd.

Pan fu'n rhaid i Jano gymryd hoe o'r gwaith oherwydd salwch ychydig flynyddoedd ynghynt, Morfudd oedd yr unig un o'i chleientiaid na ddaliodd ati i'w thalu yn ystod y cyfnod. Fyddai Jano byth yn anghofio pethau felly. Roedd y gweddill wedi rhoi arian mewn amlenni a'u postio drwy'r blwch yn y drws a rhai wedi rhoi mymryn yn ychwanegol i'w chynnal drwy amser heriol. Ond nid Morfudd. Byddai Dafydd wedi troi'n ei fedd. Roedd o a'i deulu bonheddig wedi edrych ar ôl ei theulu hi ers degawdau. Roedden nhw'n gymaint mwy na chyflogwyr. Roedd Mali a Shannon wedi cael eu magu efo'i gilydd ac yn ffrindiau agos hyd heddiw.

Wedi'r mis i ffwrdd, roedd tŷ Morfudd yn ffiaidd. Bu bron i Jano ymddiswyddo oherwydd y llanast, ond roedd angen pob ceiniog ychwanegol arnyn nhw a bu'n rhaid iddi iselhau ei hun drwy ofyn am waith ychwanegol yn smwddio.

I Jano, roedd Morfudd yn ymgnawdoliad o ferched diog ariangar. Oherwydd haelioni ei gŵr doedd hi ddim yn gorfod codi bys. Roedd yn rhaid i Jano lanhau dau dŷ y diwrnod, sgwrio syrjeri doctor un noson yr wythnos, glanhau a newid dillad gwlâu bwthyn gwyliau yn ogystal â gwarchod ei hwyrion bach ac roedd hi'n dal methu cael dau ben llinyn ynghyd. Roedd gweld Morfudd yn gwneud dim ac eto'n byw ei bywyd bach cyfforddus yn dân ar ei chroen.

Gwyddai fod ei dechreuad yr un mor syml â'i hun hithau ond bod ei chorff lluniaidd a'i thawelwch dirgel wedi dal llygaid y cyfreithiwr lleol. Doedd y ffaith bod Dafydd yn briod a chanddo fabi bach ar y ffordd ddim wedi atal Morfudd rhag ei ddwyn. Roedd ei diffyg gwerthoedd simsan yn gwneud Jano yn sâl i'w chraidd. Gwyddai y dylai roi gorau i'r swydd ond roedd hi'n gaeth i'r tŷ. Roedd ei chariad at Dafydd a Mali yn rhedeg yn ddwfn ac roedd yn benderfynol na châi'r tŷ fynd â'i ben iddo. Roedd hi hefyd am wneud yn siŵr ei bod yn ei gwylio. Roedd yn grediniol y byddai'n dod i wybod y gwir yn y diwedd. Rhywbeth bach i lenwi amser oedd y gemau bach plentynnaidd. Roedd wrth ei bodd yn creu sefyllfaoedd i wneud i Tony chwerthin a rhyfeddu ati ond roedd yr amheuaeth yn gallu ei bwyta'n fyw. Gwyddai fod rhaid siarad efo Mali am bethau. Gwybod sut oedd yn ei chadw'n effro'r nos.

"Sgwn i os 'di hi 'di dechrau sylwi?" meddai'r trycar mawr o Langefni wrth osod ei ben-ôl yn ei le arferol am y prynhawn.

"Mi gymrith chydig o ddyddia i rili neud ogla," meddai Jano gan godi ei chan seidr i'w gan cwrw fo.

Roedd Tony wrth ei fodd yn gwrando ar ei wraig yn mynd drwy'i phethau. Ond weithiau, roedd o yn cofio hefyd.

"Paid â mynd yn rhy gas, na 'nei?" roedd wedi mentro un dydd Sadwrn.

"Tasat ti'n tynnu dy fys o dy din a deud be welist di ella 'swn i'n stopio," taflai yn ôl.

Roedd hyn yn creu problemau rhyngddynt. Gwyddai o na fyddai neb yn gwrando arnynt. Doedd cefndiroedd pobl fel nhw ddim yn rhoi'r hawl iddyn nhw allu codi cwestiynau fel y mynnant. Pwy fyddai'n fodlon gwrando ar un a chanddo gefndir o botshio a dwyn plwm a hawlio gormod o fudd-daliadau?

"Dim heddiw. Gad o am heddiw, Jan," oedd ei ateb bron bob tro.

Roedd y Sadyrnau yma yn werthfawr i'r ddau. Byddent yn cau'r llenni rhag y byd ac yn meddwi ar ei gilydd. Roedd Tony ddwywaith maint Jano, yn fawr a chyhyrog. Er mai bychan oedd Jano a chanddi lond ceg o ddannedd melyn roedd Tony wedi ei haddoli o'r dechrau un. Roedd yn gyrru lorïau o Sir Fôn i Loegr ac roedd Dolgellau yn arhosiad naturiol ar ei daith. Roedd hithau'n gweithio y tu ôl i'r bar yn Y Stag. Buan iawn y datblygodd perthynas rywiol rhwng y ddau a Jano'n cymryd yn ganiataol mai un o'r amryw ferched ar ei daith ydoedd iddo. Ond roedd Tony wedi disgyn yn galed am y bwten fach â'r dafod finiog. O fewn chwe mis roedd Llangefni yn rhan o'i orffennol a Jano wedi clirio un ochr o'i wardrob.

Roedd merched fel Morfudd yn cythruddo Tony hefyd. Roedd hi wedi gofyn i Jano a fyddai o'n gallu gwneud ambell beth yn yr ardd. Roedd Morfudd wedi tybio y byddai cynnig gwaith a phunten neu ddwy yn gymorth iddo setlo ac adeiladu busnes bach. Ond roedd ei gofynion yn ormod a phan gafodd Tony ei wysio i fyny yno am y canfed tro i wneud rhywbeth y byddai wedi gallu ei wneud ei hun, daeth y berthynas waith i ben.

Aeth 'Lady Muck' yn 'Ladi Hwch' a threuliodd y ddau oriau yn chwerthin am eu henwau amdani. Roedd y gemau meddyliol rhwng y ddwy ddynes yn gwaethygu yn wythnosol ac roedd y pranciau yn dechrau llithro i le creulon.

Er ei fod yn poeni am sail y gemau mud, doedd Tony ddim yn gallu torri'n rhydd o'r cyffro o glywed amdanynt chwaith.

Taniodd Jano ei sigarét a sugno'r mwg yn ddwfn i'w hysgyfaint cyn ei chwythu'n gwmwl trwchus at y to. "Chai'm 'y nal, paid â poeni. Mae hi'n haeddu bob dim." Cliciodd ei bysedd wrth i'r mwg doddi'n ddim. Dechreuon nhw chwerthin fel plant bach a gafael yn dynn am ei gilydd. Plannodd Tony ei dafod yn ei cheg, ei chodi fel dol a'i chario i fyny'r grisiau i'r gwely.

Byddai'r rhyw yn swnllyd ac yn hir heddiw. Byddai pryderon yr wythnos yn cael eu chwalu o'u cyrff a byddai hylif y caniau oer yn llifo i'r llefydd iawn.

*

Ers gweld yr wyneb gwelw ddiwrnodau ynghynt, roedd Morfudd yn cael trafferth canolbwyntio. Roedd hi'n amhosib gwneud dim heb gael ei thynnu'n ôl at y sgrin. Teimlodd ysfa ryfedd i edrych i mewn i'r llygaid blinedig a dweud wrthi y byddai popeth yn iawn. Doedd ei chroen dwl a'i cholur rhad ddim yn gallu cuddio'r gwendidau na'i geiriau bygythiol wrth y byd. Roedd hi'n trin ei dilynwyr fel gelynion gan enwi y rhai oedd wedi ei bradychu dros y blynyddoedd.

Darllenodd Morfudd pob statws ers 2007 ac astudio pob llun. Nid darganfod pam oedd ei pherwyl bellach ond gwybod sut y gallai fod o gymorth. Roedd hon yn sicr yn perchnogi ei sefyllfa ond yn brwydro i fyw. Roedd 'na gamdrin a chamymddwyn. Roedd bol beichiog ond dim babi a hogan fach a hiraethai am y nain a'i magodd a'r fam a'i gadawodd.

Roedd hi'n aml yn 'BORED' yn 'FUCKED' neu'n 'LIVID' ac roedd ambell un oedd yn gorfod 'CADW ALLAN O FFOR FI CYN I FI SMASHO RWUN FYNU'.

Roedd hi'n dychryn Morfudd ond roedd hi hefyd yn gaeth.

I hate Liars.

I'm honest. Loyal. Weird.

I hate being ignored. I will Protect my own.

No matter What.

Deuai un dyfyniad ar ôl y llall. Pob un ohonynt yn datgan y brifo.

"Methu deud fuck all am *********** ar hyn o bryd. Yn cwrt yn fuan so *WATCH OUT*!!!!"

Yr unig rai gâi eiriau tyner oedd y rhai a'i gadawodd.

I Naini bach fi. My world.

'Mi glywaf dyner lais yn galw arnaf fi' (emyn gora hi)

Caru ti am byth.

Doedd hi ddim yn defnyddio ei henw iawn bellach.

O dan ei llun proffeil bronnog roedd y geiriau 'D.D. by Name, D.D. by Nature!'

Glynodd Morfudd wrth y penderfyniad i beidio â chysylltu. Roedd gwylio o bell yn fwy diogel. Roedd hi'n amrwd a bregus. Dyna a welodd yn Kerry.

Neidiodd o'i chadair a llamu at ddrych y cyntedd. Pwyntiodd ei bys ati ei hun.

"Paid. Dim hi ydi hi," meddai'n chwyrn cyn mynd yn ôl at y sgrin.

Roedd amwystra'r achos llys oedd ar fin digwydd yn drysu Morfudd.

Aeth drwy'r lluniau a'r negeseuon eto gan fentro yn ôl yn bellach y tro hwn. Gavin Ellis. Aamil Ayad. Billy Jones. Jamil Mabuse. Charlie Roberts. Dyma'r dynion amlwg a oedd wedi meddiannu ei hamser am gyfnod. Pob un wedi treiddio i'w byd. Ai un o'r rhain oedd wedi gwneud cam â hi? Doedd dim un o'r enwau ar y rhestr achosion cwrt lleol.

Efallai mai Dyddgu oedd o flaen ei gwell. Ai hi oedd wedi 'smasho rhywun i fynu' am fod yn 'liars' neu'n 'dishonest little shits'?

Edrychodd Morfudd ar y cloc. Bu'n eistedd yn chwilota am deirawr a'r bore cyfan wedi mynd. Roedd diffyg trefn ei dyddiau yn golygu nad oedd hi'n atebol i neb ond ei hun. Roedd hynny'n beth braf ond byddai ei chydwybod yn mynnu ei phigo o hyd. Gallai deimlo'r gwawdio yn dod. Dechreuodd y sisial cas ym mhocedi gwag ei phen. 'Ti'n da i ddim i neb.' Ffurfiodd y sibrwd yn lleisiau clir 'Ti'n ddiog. Ti'n drist.'

Anadlodd yn ddwfn a phaentio gwên ar ei hwyneb hyll.

Ni weithiodd heddiw. Gollyngodd y wên ac estyn am dabled. Roedd wedi brwydro'n galed yn erbyn rhain ac wedi ceisio peidio â'u llyncu. Roedd cyfaddef bod yn rhaid cael cemegion i leddfu'r ymennydd yn anodd ond doedd rheoli ei chyfnodau du ar ei phen ei hun ddim yn opsiwn bellach. Roedden nhw'n fwy na hi. Roedd y cyfnod yn yr ysbyty wedi pwysleisio hynny.

Roedd 'na dameidiau mor amrwd y tu mewn iddi.

Wrth lyncu'r dabled a gollwng y dafnau o'r piped ar ei llaw ac anadlu'r mygdarth pêr drwy'i thrwyn, cofiodd fod rhaid iddi fod yn ffeind wrthi ei hun. 'Tydi pawb ddim yr un fath, Morfudd,' meddai am y milfed tro. Gafaelodd yn dynn ynddi ei hun a gosod ei phen ar ei hysgwydd dde. Siglodd ei hun o'r naill ochr i'r llall i dwyllo'r ymennydd bod y corff yn ymlacio. "Shhhh," sibrydodd a chodi ei llaw chwith i'w thrwyn. Anadlodd weddill yr olew o'r cledr.

Gwyddai ei bod yn mewn lle bregus. Roedd wedi ei deimlo'n bragu ers misoedd. Roedd y sleifio gyda'r nos, y noethni meddw a'r stelcian rhithiol yn cymryd drosodd a doedd ganddi ddim egni nac ewyllys i frwydro yn ôl. Dyma oedd yn ei chadw i fynd ac er bod y gwymp feddyliol yn boenus pan y dôi, roedd y wefr a gâi o ymgolli ym mywydau eraill yn ddigon iddi allu anghofio mai hi oedd hi am ennyd fach. Roedd ei gŵr wedi ei gadael yn ddynes weddw heb sgiliau. Roedd wedi ei hynysu yn ei chawell ar ben y bryn.

Doedd ganddi ddim i'w gynnig i'r byd y tu allan i waliau'r tŷ.

Caeodd gaead y botel olew a chraffu ar ei hanadl. Oedd, roedd y bachiadau bach byrion wedi peidio am rŵan. Eisteddodd ar y gwely ac edrych dros yr olygfa hardd. Clywodd rai yn dweud bod syllu ar fawredd yn eu cymell i deimlo'n ddi-nod. Roedd popeth yn gwneud i Morfudd deimlo felly.

Roedd hi'n siŵr bod yr aroglau od yn dal i eistedd yn yr aer o gwmpas y tŷ. Doedd ganddi ddim yr awydd i fynd i archwilio'r draeniau ac ers i Tony fod yn ddigywilydd efo hi yn y gorffennol, doedd hi ddim am iddo ddod i fyny i'r tŷ. Byddai'n rhaid iddi ofyn cyngor Jano ddydd Gwener.

Wrth gerdded o'r ystafell haul am y gegin, edrychodd yn ôl at y cyfrifiadur agored. "Gwna fo!" meddai'n uchel, "Caea'r ffwcin caead a dos i wneud rwbath." Roedd yn aml yn ceryddu ei hun yn uchel dros y tŷ fel hyn. Roedd bod ar ei phen ei hun wedi gwneud hyn iddi. Roedd wedi anghofio lle'r oedd hi wrth siopa'n ddiweddar ac wedi gweiddi arni ei hun yn uchel pan ollyngodd bot coffi ar y llawr, "Y bitsh wirion!" Roedd wedi gorfod ymddiheuro wrth yr hen ddynes a oedd yn sefyll gerllaw yn dewis ei jam.

Brasgamodd at y cyfrifiadur a chau y caead yn glep. "Reit!" meddai'n benderfynol. Ond cofiodd nad oedd dim ar y gweill. Er bod ei mam yn y cartref cyfagos ar gyrion y dref, doedd hi ddim yn ei hadnabod bellach a doedd y reddf naturiol ddim yn Morfudd i chwarae gêms a'i harwain i lawr llwybrau'r cof na wnâi ddim synnwyr iddi. Roedd yn ffieiddio at yr aroglau yn ei hystafell wely, yn gymysg o gachu a lafant sur. Bob tro y gwelai hi roedd yn gadael yn teimlo'n waeth na'r tro cynt.

Roedd yn ddisgwyliedig bod pobl yn caru eu mamau ar

ddiwedd eu hoes. Roedd hyn yn digio Morfudd. Roedd yn talu am ei lle ac roedd ganddi gartref cysurus i fodoli tan y diwedd. Doedd dim rhaid ffugio perthynas hefyd. Pe byddai 'n ddewis iddi hi byddai'r cartref wedi bod ar gyrion Caernarfon ond roedd Dafydd wedi mynnu ei symud i Ddolgellau. Ei bres o oedd yn talu felly roedd yn rhaid iddi hithau ildio.

Na, doedd hi ddim yn y lle iawn yn feddyliol i fod yn gwrando ar ei mam yn mynd dros yr un storïau eto. Roedd bod wrth ei hochr yn yr ystafell fach a edrychai allan am Gader Idris yn ei thristáu. Yn aml iawn byddai'r ddwy ddynes yn eistedd yn dweud dim. Byddai Morfudd yn edrych i fyny at y mynydd a daflai ei gysgod dros y cartref a dychmygu ei hun yn ei ddringo neu daflu ei mam oddi arno. Yn yr ystafell fach ddrewllyd wrth eistedd drws nesaf i'r ddynes a oedd wedi methu ei charu roedd Morfudd ar ei gwaethaf. Roedd y gallu i balu'n ddwfn a gwasgu mymryn bach o deimlad tuag ati i basio hanner awr wedi hen ddiflannu.

Erbyn rŵan, roedd yn dân ar ei chroen. Gwyddai fod merched y cartref yn siarad amdani. Roedd eu hagwedd tuag ati pan y cerddai i mewn yn dweud y cyfan. Byddent yn cofleidio aelodau y teuluoedd eraill a chwerthin yn uchel wrth adrodd straeon doniol am eu mamau, eu teidiau a'u neiniau.

Roedd Morfudd yn lwcus i gael 'bore da'. Doedd hi ddim yn malio bellach. Er ei sensitifrwydd, roedd ei chroen wedi caledu. Doedden nhw ddim yn gwybod y gwir. Wydden nhw ddim am yr hogan fach a oedd yn crefu am gael breichiau ei mam o'i chwmpas ar ôl syrthio neu ddod i'w gwylio yn ennill medalau ei rasys.

Rŵan, yn ei diymadferthedd roedd hi'n edrych fel hen

ddynes fach fregus. Dynes fusgrell, annwyl a diolchgar a oedd wedi esgor ar blentyn diserch.

Dim ond hi oedd yn gwybod y gwir.

*

Sbonciodd Morfudd o'r gwely fel ebol blwydd ar y bore Iau. Roedd ganddi ddiwrnod llawn o'i blaen. Byddai'n rhaid iddi ddewis ei dillad ar gyfer y dosbarth pilates, picio i'r archfarchnad i ddewis bwyd a'i goginio er mwyn ei adael i Mali. Teimlai'n ysgafnach. Roedd gwybod na fyddai'n rhaid cael sgwrs o gwmpas y bwrdd yn gwneud gwahaniaeth mawr.

Doedd dim gronyn o reddf famol yn Morfudd. Roedd plant yn ei dychryn. Roedd yn edmygu'r merched hynny a oedd yn gallu siarad efo plant a'u diddanu am oriau. Roedd hi wedi ceisio gwrando a dysgu gan bobl dros y blynyddoedd. Roedd hyd yn oed wedi mynd ar ei chwrcwd i fod yr un lefel â rhai ohonyn nhw er mwyn cynnal sgwrs. Roedd plant yn gallu gweld drwyddi. Gwyddent ei bod hi'n lwmp o faw. Doedd hi erioed wedi gallu siarad iaith babi ac roedd meddwl am lanhau ar ôl y damweiniau tŷ bach a'r chwydu ar ôl gormod o dda-da yn ddigon i'w gwneud hi'n sâl.

Pe gwyddai Dafydd ei bod wedi teithio i Firmingham ar ei phen ei hun dair blynedd ar ôl priodi i aros mewn lle gwely a brecwast dros y ffordd i'r clinic, byddai wedi hanner ei lladd. Gorfu iddi ddweud celwydd am angladd hen anti a greodd yn ei phen. Diolch bod Dafydd mor brysur ar y pryd, ac yn teithio yn ôl a blaen i bwyllgorau yng Nghaerdydd ac yn rhy ddisylw i'w chroesholi. Teimlodd mor unig yn eistedd mewn ystafell aros dywyll efo degau o ferched ifanc efo'u mamau. Pob un â stori wahanol ond pob un â'r un gorchwyl. Diddymu yr hyn a oedd yn tyfu yn eu croth.

Roedd wedi tynnu ei modrwy briodas wrth fwyta ei brecwast cyn camu dros y ffordd i'r tŷ mawr a oedd yn glinic i ddechrau a diweddu taith.

Wrth i'r teclynnau oer gael eu gwthio i fyny ei gwain, fe gaeodd ei llygaid a llyncu'n ddwfn i atal y dagrau. Nid crio am ddifa beth oedd tu mewn iddi oedd hi, ond crio am ei fod yn gymaint o ryddhad.

Wedi llyncu'r bilsen o'u blaenau a dweud celwydd bod ganddi rywun efo hi, roedd wedi gyrru adref yr holl ffordd a'r gwaed yn dechrau baeddu'r gwlân cotwm gwyn oddi tani. Yr holl waed. Doedd hi erioed wedi disgwyl cymaint ac roedd ei thu mewn yn drwm a dolurus.

Roedd ganddi gymaint o ofn i Dafydd gysylltu'r gwaed efo'r daith ond fe ferwodd stori am fislif trwm anarferol a rheidrwydd i gysgu yn yr ystafell gefn. Gwyddai na allai ddioddef ei gael yn byseddu a thylino ei chefn. Dyna oedd ei gyfraniad i boen ei mislif bob tro. Roedd y gwaed hwn yn wahanol. Roedd yn drwchus a thameidiog a choch na welodd ei debyg o'r blaen.

Doedd hi ddim wedi bod yn barod i fod yn fam. Rheidrwydd oedd bod yn llysfam.

Roedd Mali wedi bod yn fwrn erioed. Roedd y blynyddoedd cynnar yn anodd. Oherwydd y sefyllfa, doedd Dafydd ddim wedi cael ei gweld am ddwy flynedd gyntaf ei bywyd ar y ddaear ac er bod Morfudd yn ymddangosiadol gefnogol i ymgais gyfreithiol ei gŵr i gael gweld ei fabi, yn ddistaw bach roedd hi'n teimlo'n rhydd. O leiaf wedi dyfarniad y llys, roedd hi'n dair oed ac yn gallu ryw fath o siarad a mynd i'r tŷ bach.

Doedd y ddwy erioed wedi cyd-dynnu. Roedd anallu

Morfudd i gyfathrebu efo plant yn ogystal â'r gwenwyn cyson a ddôi o enau y gyn-wraig yn gwneud y berthynas yn un anos cyn cychwyn. Roedd Mali hefyd wedi gallu bwydo ar wendidau Morfudd ac wedi ei disodli ar ei haelwyd ei hun o'r dechrau'n deg. Oherwydd euogrwydd y tad, roedd y ferch fach wedi cael penrhyddid llwyr i droi'r sefyllfa i'w mantais ei hun.

Roedd cael ei chymharu efo'r gyn-wraig yn araf bach yn creu mwy o dyllau yn ei hyder bregus. Gwyddai fod pawb yn yr ardal yn addoli'r meddyg teulu. Doedd neb wedi deall pan glywsant y newydd bod y cyfreithiwr llwyddiannus wedi ei gadael. Doedd Morfudd ei hun ddim wedi gallu deall y peth am flynyddoedd. Ond dod i ddeall y gwnaeth hi.

Roedd gan Mali ymennydd chwim ei thad a'i mam ac roedd dilyn ôl troed ei thad yn llwybr derbyniol i bawb. Roedd rhieni Dafydd wedi addoli eu hwyres fach dalentog ac wedi canmol a chefnogi ei gorchestion addysgol o'r dechrau, yn enwedig o flaen Morfudd a oedd wedi gadael yr ysgol yn un ar bymtheg oed. Doedd y teulu erioed wedi gallu derbyn bod Dafydd wedi gadael meddyg llwyddiannus chwaith ac wedi lluchio'r cyfan ymaith er mwyn bod efo hogan fach ddi-nod o'i swyddfa.

Un o brif bleserau'r teulu pan ddeuent at ei gilydd oedd chwarae gemau bwrdd. Nid Monopoly neu Cluedo ond y rhai clyfar. Teimlai Morfudd fod hyn yn un cam arall i danseilio ei deallusrwydd. Arferai Mali lyncu mul pe byddai'n gorfod bod yn nhîm Morfudd gan fynnu bod ar y tîm arall. Roedd Dafydd yn gallu gweld panic ei wraig ifanc pan y deuai'r gemau allan ar ôl cinio Sul yn nhŷ ei rieni ond byddai'n mwynhau ei gwylio'n chwysu. Roedd yn rhan o'r bychanu. Yn rhan o'r gêm.

Byddai Mali yn chwerthin drwy ei dwylo pan na fyddai Morfudd yn gallu ateb cwestiwn ac roedd yn grediniol bod ei rhieni yng nghyfraith yn mwynhau'r bwlio bach tawel hefyd. Pan ymddeolodd tad Dafydd ychydig wedi iddi hi a Dafydd greu y sgandal fawr, y gyn-wraig gafodd ei gwahodd i'r parti. Roedd y penderfyniad wedi dangos yn gyhoeddus iawn beth oedd eu barn a lle'n union oedd eu teyrngarwch.

Roedd Morfudd yn gallu deall y meddylfryd y tu ôl i'r penderfyniad. Wedi'r cyfan, ati hi oedd y bys yn cael ei bwyntio am rwygo teulu bach hapus yn ddarnau ond doedd o ddim yn gwneud y brifo'n haws. Dyna oedd ei chosb am ildio i ddyn a oedd wedi gwneud popeth yn ei allu i'w chael am dros dair blynedd. Roedd caru Dafydd wedi bod yn raddol ond roedd y gyflafan a oedd i ddilyn yn ffrwydrol.

Dyma'r dyn cyntaf i sylwi arni a'i llusgo o'r cysgodion. O'r eiliad y camodd i mewn i'w swyddfa yn y dref roedd yn gallu teimlo ei lygaid arni. Roedd y cyffyrddiadau bach rhwng blaenau eu bysedd wrth iddi hi roi llythyr yn ei law yn peri i'w chorff fynd yn binnau mân o'r dechrau. Byddai wedi gallu ei edmygu o bell a'i gadw lled braich ond iddi gael ei weld a'i blesio yn y gwaith bob dydd. Ond nid oedd yn ddigon i'r cyfreithiwr llwyddiannus.

Roedd hi'n ymwybodol ei fod yn briod gan fod meddygfa ei wraig gyferbyn â'r swyddfa gyfreithiol. Byddai hi'n picio i mewn i swyddfa ei gŵr yn achlysurol i'w atgoffa o ddigwyddiad cymdeithasol neu i ollwng bocs bwyd roedd wedi ei adael ar fwrdd y gegin yn ei frys yn y bore. Ni ddywedodd ddim wrth Morfudd am y chwe mis cyntaf. Bron nad oedd wedi sylwi arni er bod ei desg wrth ymyl drws ffrynt y swyddfa. Wrth i'r cyffyrddiadau a'r sylwadau canmoliaethus ddechrau llifo'n gerrynt cryf o enau Dafydd, felly hefyd y daeth diddordeb y wraig yn Morfudd yn fyw.

Cafodd wahoddiadau i'r tŷ am swper ac fe luchiwyd ambell

gwestiwn tuag ati wrth i'w wraig bicio i mewn i'r swyddfa yn amlach. Roedd eisiau gwybod am ei phenwythnosau a'i ffrindiau a'i chylchoedd cymdeithasol. Er na ofynnodd am fodolaeth cariad, roedd pob cwestiwn wedi ei fframio'n ofalus i geisio cael gafael ar y wybodaeth honno. Roedd Morfudd wedi cadw pob ateb yn fyr a di-fflach a gwrthododd y gwahoddiadau i gyd.

Roedd Dafydd yn ddyn penderfynol. Doedd Morfudd ddim yn deall pam roedd ganddo ddiddordeb ynddi. Roedd hi mor wahanol i'w wraig. Roedd honno'n hyderus a chlyfar a chymdeithasol. Roedd pawb yn y dref yn ei haddoli. Roedd hi'n feddyg teulu, yn llywydd, ysgrifennydd a thrysorydd bob dim. Roedd hi'n codi arian, yn pobi ar gyfer stondinau ac yn dadlau achosion y trigolion ar y cyngor plwyf. Ac eto, roedd Dafydd yn rhedeg ar ei hôl hi.

Dim ond swydd dros dro oedd y swydd yn Nolgellau i ddechrau tra roedd ysgrifenyddes y swyddfa ar gyfnod mamolaeth. Roedd Morfudd wedi bod yn gweithio mewn swyddfa gyfreithiol ym Mangor ond daeth y swydd i ben yn sgil problemau efo gweithiwr arall. Wedi cyfnod anhapus mewn gwahanol adrannau yn y Cyngor Sir, fe glywodd am y swydd dros dro yn Nolgellau.

Teithiai ar y bws bob bore. Gwirionai wrth edrych ar y wlad o'i chwmpas yn deffro a gwylio plant blinedig ar ben eu lonydd fferm yn ciwio am eu bysus ysgol. Roedd wrth ei bodd yn chwilio am y gwahanol wynebau a ddaeth mor gyfarwydd iddi ar hyd y daith. Byddai'n creu eu hanesion yn ei dychymyg.

O dipyn i beth, dim ond un wyneb oedd yn llenwi ei phen.

Wyneb peryglus a oedd yn meddiannu pob eiliad o'r daith. Doedd hi bellach ddim yn sylwi ar ddail y coed yn newid eu lliwiau na'r niwl dros Fryncir. Doedd y ferch ifanc a oedd yn codi llaw ar ei chariad o ffenest ei thŷ ym Mhenrhyn na'r hen gwpl a oedd yn cerdded eu ci ar gyrion Traws yn golygu dim. Roedd y dyn priod yn mynnu gwthio ei ffordd yn hy i bob rhan ohoni.

Heddiw roedd Morfudd yn teimlo pwysau yn disgyn oddi arni. Roedd y ffaith fod Mali yn dod i dreulio ambell noson yr wythnos ers dechrau ei lleoliad gwaith yn hen swyddfa ei thad yn golygu eu bod wedi gorfod treulio mwy o amser yng nghwmni ei gilydd. Roedd Mali wedi gwneud ei nyth yn hen ran y tŷ ac wedi hawlio'r ystafell garreg fel swyddfa. Wedi'r cyfan roedd hi'n berchen ar hanner y tŷ. Roedd Dafydd wedi gwneud yn siŵr o hynny. Roedd Mali wedi gwneud iddi deimlo fel gwestai ers blynyddoedd. Er nad oedd y ferch ifanc yn barod i symud i le mor anghysbell a gadael ei ffrindiau yng Nghaer eto, roedd hi'n gwybod sut i lenwi'r lle.

Byddai'r dosbarthiadau wythnosol yma'n golygu rhyddid rhag y nosweithiau Iau caethiwus.

Estynnodd oriadau'r car o'r bowlen wrth ymyl y meicrodon a mynd am y drws. Wrth roi ei llaw ar y bwlyn fe gaeodd ei llygaid er mwyn miniogi un o'r synhwyrau eraill. Roedd 'na rywbeth yn sicr o'i le. Doedd ganddi ddim amser i bori heddiw. Fyddai swper Mali ddim yn prynu ei hun.

Pylodd yr aroglau o'i ffroenau wrth i'r sgrin wahodd. Pa ddrwg oedd mewn gwylio am gyfnod bach byr?

Roedd Dyddgu wedi bod yn rhannu mwy yn yr oriau mân. 'Stay Real, Stay Loyal or Stay AWAY' ac yna llun o'i nain a'r geiriau 'My diamond. My universe' a chlwstwr o galonnau wedi torri. Roedd yn amlwg mewn lle bregus ac yn gofyn amdani. Roedd yr hiraeth am ei nain yn glwyf gweladwy a geiriau ambell ffrind yn awgrymu nad oedd Charlie yn haeddu'r ferch â'r cudynnau du.

Roedd y negeseuon yn amlwg wedi eu hysgrifennu wedi iddi gyrraedd adref o'i shifft yn y dafarn ac wrth gael diod neu smôc. Awchai Morfudd am allu i roi mwy o gig ar asgwrn yr achos llys ond doedd dim mwy o gliwiau i'w gweld. Cliciodd ar y ddelwedd agos o'i hwyneb gwelw. Rhedodd ei bys dros ochr ei boch a'i gwallt.

Tarodd cloc y gegin yn flin. Gafaelodd Morfudd yn y goriadau a rhuthro i'r car ac i lawr i'r archfarchnad i brynu swper ei llysferch.

⋆

Roedd Mali wedi cyrraedd y tŷ erbyn i Morfudd gyrraedd yn ôl. Roedd ei char bach swanc wedi ei barcio'n flêr ar y grafel. O edrych ar y stwff yng nghefn y car roedd yn amlwg ei bod am aros am ychydig ddyddiau. Roedd hyn yn gwylltio Morfudd yn syth. Pe byddai'n gwybod, byddai wedi prynu mwy o fwyd ac wedi meddwl am rywle i ddianc iddo am y penwythnos. Byddai penwythnos o yfed gwin a gwneud gwaith ditectif cudd yn gorfod aros.

Roedd y gerddoriaeth yn llifo o'r ystafell garreg. Cerddoriaeth oedd yn wrthun iddi. Pam bod Mali yn mynnu gwrando ar gymaint o ganeuon gwael? Camodd Morfudd i'r gegin yn barod i chwarae ei rhan.

"Haia Mor!" gwaeddodd Mali o gyfeiriad arall y tŷ. "Ddo'i yna rŵan! Dwi jest yn gorffen ryw blwmin adroddiad er mwyn ei yrru pnawn 'ma. Mae o'n rili pwysig."

Roedd Mali wrth ei bodd yn dangos pa mor brysur oedd hi. Puprai ei sgwrs efo geiriau fel 'adroddiadau', 'targedau' ac 'affidavit'. Geiriau nad oeddynt yn diddori na chreu argraff ar Morfudd. Roedd blynyddoedd o weithio mewn swyddfa wedi ei llethu a toedd ychydig o dermau nawddoglyd ddim am ei dallu. Nid oedd wedi croesi meddwl Mali erioed fod gan Morfudd orffennol. Roedd popeth yn cylchdroi o'i chwmpas hi. Roedd Morfudd wedi bod yno i wasanaethu ei thad a rŵan roedd yno i wneud ei bywyd hithau yn haws.

Doedden nhw erioed wedi siarad am farwolaeth Dafydd. Weithiau byddai Morfudd yn dychmygu'r ddwy yn mynd am goffi neu i siopa a chael sgwrs fawr ddwfn am bethau bywyd. Roedd wedi gweld mamau a'u merched yn gwneud hyn. Hoffai syllu ar rai ohonynt yn eistedd yn yfed gwin efo'i gilydd y tu allan i dafarnau a bwytai lleol. Roedd yn codi'r felan arni. Sut oedden nhw wedi cyrraedd y lle cyfforddus hwnnw?

Gwyddai na allai Mali a hi byth gyrraedd y pwynt yna. Ond am chydig eiliadau, yn nyfnder y nos, dôi ton o gariad drosti. Cariad at Mali. Roedd yn debyg i'r teimlad a gâi yn yr eiliad honno rhwng cwsg ac effro pan y credai fod Dafydd yn fyw. Yr amrantiad hwnnw cyn i'r gwirionedd ei phwnio'n ffyrnig yn ôl i'r gwir. Ond roedd cynsail eu perthynas wedi ei osod ers blynyddoedd ac yng ngolau dydd roedd yr hen deimladau'n haws.

Piciodd y ferch dair ar hugain oed ei phen o amgylch drws y gegin a'i iPad yn ei llaw. "Ffinito! God dwi'n falch bod hwnna wedi mynd. Sori, alla'i ddim deud wrthat ti be oedd o. *Highly confidential* yn anffodus." Doedd Morfudd ddim wedi gofyn am wybod.

Ciciodd Mali ei hesgidiau o dan y bwrdd a phlygu ei choesau noeth ar y gadair. Crychodd ei thrwyn. "Oes 'na ogla drwg yma?"

"O'n i'n mynd i ofyn hynna i chdi."

"Blydi hel mae 'na wbath yn drewi 'ma, does?"

"Dwi methu deall. Dwi 'di bod yn sniffio o gwmpas y tŷ ond alla'i ddim ffeindio o lle ma'n dwad."

"Ti 'di tsiecio'r draens?"

"Do, bora 'ma, ond dwi'n meddwl mai tu mewn mae o."

Cododd Mali'n awdurdodol. "Paid â poeni. Gad o i fi, mae gen i drwyn fatha ci," ac i ffwrdd â hi i sniffian o gwmpas y tŷ.

Daeth yn ei hôl i'r gegin ymhen ychydig â'r benbleth yn amlwg ar ei hwyneb. "Mae hynna'n rili *weird*," meddai. "Mae o fel tasa fo yn yr awyr ond ddim yna chwaith."

Gwasgodd Morfudd bob owns o ddewrder i'w chorff a datgan na fyddai'n gallu bod adref ar nosweithiau Iau am sbel. Am eiliad, roedd Morfudd yn amau ei bod wedi gweld siom ar wyneb ei llysferch.

"Paid â poeni," meddai. "Mae gen i lwythi o waith i neud cyn fory." Oedodd cyn gwenu, "Neu faswn i'n dod i'r dosbarth pilates. I gadw golwg arnat ti!"

Tarodd ei geiriau fel y slaes a roddai Morfudd i'w hun.

Rhedodd drwy'r drws a gosod ei phen rhwng ei choesau wrth ochr ei gwely. "Anadla," sibrydodd wrthi ei hun. "Paid â gadael i hwn droi'n fawr."

Gorfododd ei hun i edrych ar y llawr o dan ei thraed a chyfri'r craciau yn y pren. Gafaelodd yn dynn yn ei braich rhag iddi gyffwrdd ei boch.

Gwyddai yn ei chalon mai geiriau difeddwl-drwg oedden nhw ond llwyddodd i wneud ffŵl ohoni'i hun unwaith eto.

Doedd neb yn cadw golwg arni rŵan.

*

Doedd Morfudd yn cofio dim am gyrraedd Penrhyndeudraeth. Wrth ddod i mewn i'r pentref daeth yn ymwybodol ei bod yn gyrru i rywle ond wyddai hi ddim i ble. Roedd llinell fas cân Ani Glass yn peri i fetel tenau ei char ddirgrynu'n swnllyd.

Roedd pedwar o bobl yn sefyll ynghanol y lôn o'i blaen. Tarodd ei brêc. Bu bron iddi yrru drwy olau coch.

"Ffwcin nytar!" gwaeddodd mam un o'r plant ar y croesiad. "Sa chdi 'di gallu lladd ni. Rho'r miwsig 'na lawr a consentretia ar y lôn."

Canodd gyrrwr y car tu ôl iddi ei gorn. "Ia iawn!" gwaeddodd hithau heb wybod beth oedd newydd ddigwydd. Tynnodd mewn i'r gilfan gyfagos yn un llanast llwyr.

Wrth weld y bag a'r tywel ar y sedd wrth ei hochr daeth popeth yn ôl. Byddai'n rhaid teipio'r cyfeiriad i'w ffôn a gadael i'r SatNav ei harwain at y neuadd. Wrth wrando ar y ddienaid un yn ei hebrwng at yr adeilad dechreuodd ei hyder gilio. Gobeithiodd y gallai guddio yn y cefn heb neb yn gofyn dim iddi.

"You have reached your destination," meddai'r llais robotaidd.

Gwahoddai'r goleuadau drwy ffenest y neuadd gan ddenu merched yn eu deuoedd â'u matiau wedi eu rhowlio'n flêr o dan eu ceseiliau.

Wrth gau drws y car a cherdded i fyny'r llwybr dechreuodd ei hymennydd ar y gwenwyno. Roedd wedi ceisio ei gorau glas i ymuno â phobl eraill ers i Dafydd fynd ond roedd y creithiau'n ddyfnach nag a dybiai. Doedd y gallu ddim ynddi bellach. Roedd cuddio y tu ôl i furiau trwchus y tŷ wedi bod yn rhy hawdd. Roedd yn anodd chwalu defodau pymtheg mlynedd mewn llai na thair.

Rhedodd yn ôl am y car. Rhoddodd ei throed ar y sbardun a

throi blaen y car am y gogledd. Cyn iddi sylweddoli roedd yn gwibio drwy strydoedd cefn y dref. Roedd y llais cyfrifiadurol wedi drysu'n lân a cheisiodd gynnig trywydd newydd ond roedd y car yn gwybod yn iawn i ble yr oedd yn mynd. Gorfodwyd hi i stopio eto gan y goleuadau traffig. Daeth geiriau Ani Glass i lenwi'r aer.

Cer i ddianc i'r ddawns, paid aros i mi,
A côr y ffatri yn canu ein cân yn ôl
I gael dianc i'r ddawns dan don o hapusrwydd,
Wel dyma ni, ti a fi.

"Cer i ddianc i'r ddawns, Mori," sibrydodd.

Gadawodd dref Porthmadog ac esgyn yr allt fechan tuag at y troellau niwlog a daeth hyder newydd i olchi drosti. Dim ond cipolwg heno. Dim sgwrs na chydnabod, dim ond un fflach o'i hwyneb i gael rhoi cnawd ar y ddelwedd rithiol. Roedd y map yn ei phen. Y bloc fflatiau, y becws a'r dafarn. Byddai ei greddf yn ei harwain ati heno.

*

Wrth i Mali gario'i swper i'r ystafell haul, sylwodd ar y golau bach yn fflachio yn y gornel. Rhoddodd ei phlât ar y ddesg wrth ymyl y cyfrifiadur. Mae'n rhaid bod Morfudd wedi anghofio ei ddiffodd. Eisteddodd i lawr cyn syllu i fyw llygaid y ferch oedd yn llenwi'r sgrin.

Doedd Mali ddim ar Facebook. Roedd 'na gymaint o blatfformau gwell. Rhywbeth i'r to hŷn oedd hwn. Ofnodd bwyso ar y llun rhag ofn y byddai cofnod o'i gweithred. Edrychodd arni eto. Pam bod ei gwylio yn gwneud iddi deimlo mor annifyr?

Roedd rhywbeth yng nghefn ei meddwl yn ei hatgoffa o'r cyfnod o weiddi a ffraeo rhwng ei thad a Morfudd. Cofiodd mai asgwrn y gynnen oedd cyfeillgarwch Morfudd efo dynes arall. Roedd ei thad wedi mynd yn wallgof un penwythnos. Roedd hi wedi eistedd ar ben y grisiau yn gwrando ar y gweiddi. Roedd Morfudd yn crio yn y cyfnod hwnnw. Arferai Mali wisgo ei chlustffonau er mwyn boddi'r lleisiau.

Roedd yn amlwg i Mali mai ei mam a'i thad oedd i fod efo'i gilydd. Wedi blynyddoedd o beidio siarad, pan ddechreuodd hi yn yr ysgol uwchradd fe ddaeth y ddau yn ffrindiau a daeth bywyd yn haws.

Roedd dod yn ôl i'w chartref yn bwysig i Mali. Teimlai yn agos at ei thad. Hoffai weithio yn ei hen swyddfa. Roedd edrych ar ei dystysgrifau a'i luniau graddio yn creu balchder.

Gwyddai fod edrych ar y llun o'r ferch yma yn ei chludo i gyfnod rhyfedd rhwng Morfudd a'i thad. Penderfynodd dynnu llun o'r ferch ifanc ar ei ffôn a sgwennu ei henw mewn lle diogel. Gobeithiodd mai ei meddwl cyfreithiol oedd yn gwrthod mynd i gysgu am y noson.

Canodd y ffôn. Doedd hyn ddim yn digwydd yn aml yn nhŷ ei llysfam.

*

Arafodd Morfudd y car wrth nesáu at arwydd Pen-y-groes. Ni feddyliodd am eiliad y byddai yma heno. Gwyliodd geir yn ei phasio a'u gyrwyr blin yn lluchio ystumiau cas am iddi barcio mewn lle twp. Chwiliodd am het oedd fel arfer ar y sedd gefn. Nid oedd yna heno. Chwarddodd yn uchel. Doedd neb yn gwybod ei bod ar berwyl cudd. Byddai het yn codi mwy o sylw. Doedd hi'n gwneud dim o'i le.

Wrth yrru i mewn i'r dref, roedd hi'n amau bod pawb yn syllu arni ond curai ei chalon yn dawel ac roedd ei hanadl yn llyfn. Diffoddodd y gerddoriaeth rhag denu gormod o sylw. Roedd y cloc ar y dashfwrdd yn dangos wyth o'r gloch. Lle fyddai Dyddgu heno?

Gyrrodd i fyny ac i lawr y stryd fawr i amsugno daearyddiaeth y lle ac i roi cyd-destun i'r ferch ifanc a oedd wedi meddiannu ei meddwl. Er y golau egwan, roedd y tai teras yn gymysg â'r siopau bach yn gwneud iddi deimlo'n gartrefol. Roedd y cyrtans yma'n cael eu cau a byddai'n rhaid defnyddio ei dychymyg i greu'r rhai a guddiai y tu ôl iddynt.

Roedd byw mewn tŷ mawr ar ben bryn wedi creu y ddynes roedd Dafydd wedi gobeithio amdani ond câi Morfudd ei chyfareddu gan strydoedd fel hyn. Dychmygai'r trigolion yn gwrando ar ei gilydd yn bodoli drwy'r waliau brics. Roedd rhai cymdogion yn gallu clywed gwlâu yn gwichian yn yr oriau mân.

Gwyddai nad ar y stryd fawr oedd Dyddgu'n byw. Roedd wedi bod yn trawsgyfeirio a chwyddo cefndir ambell un o'i lluniau dros y dyddiau diwethaf. Fflatiau Nantlle oedd ei chyfeiriad ac roedd rheiny ar gyrion yr ysgol. Gwelodd arwydd mawr o'i blaen. BECWS Y GROES. Roedd yn dywyll a'r bleinds i gyd ar gau. Yn amlwg, nid ar nos Iau y gweithiai yno. Wedi eistedd am ychydig funudau yn amsugno manylion y darlun, gwyddai mai am y dafarn y byddai'n rhaid mynd.

Roedd y Black Horse i lawr un o'r strydoedd cefn a daeth Morfudd o hyd iddi yn gynt na'r disgwyl. Roedd ganddi ryw hanner cof o fod yma yn ei harddegau wedi gig yng Nghaernarfon. Parciodd mewn tamaid o dywyllwch rhwng dau bolyn lamp. Er bod y ffenestri yn rhai gwydr aneglur, gallai weld cysgodion yn nofio y tu mewn. Heblaw am amlinelliad ambell gorff yn taflu dartiau at y gornel, roedd yn hollol wag.

Caeodd ei llygaid a cheisio cofio cynllun yr adeilad. Roedd yn siŵr bod ffenestr gefn ar y stryd nesaf. Taniodd yr injan a symud ei chuddfan. Wrth yrru i fyny'r stryd gul, mynnodd y car dynnu i'r chwith a chrynodd y llyw yn ei dwylo. Tynnodd i mewn i wagle rhwng dau gar arall ond roedd y cerbyd yn tynnu yn ei herbyn. Roedd ganddi syniad da beth oedd o'i le.

Wrth edrych drwy ffenest gefn y dafarn fe welodd y cysgod. Ei chysgod hi. Roedd y gwallt glasddu wedi ei dynnu'n gynffon dynn ar ei phen a'i gwefusau'n amlwg goch drwy'r paen.

Daeth cnoc annisgwyl ar ffenest y car.

"Blydi hel," gwaeddodd Morfudd.

"Sori, boi! O'n i'm isho dychryn chdi ond ma gin ti byncjar, sdi," meddai'r hogyn ifanc ar ochr y palmant.

"O... diolch... O'n i wedi ama' pan o'n i'n trio parcio. Diolch."

Gobeithiodd mai dyna oedd diwedd y sgwrs. Gobeithiodd nad oedd am ofyn a oedd ganddi olwyn sbâr.

"Sgin ti sbêr?"

"Ym, dwi'n siŵr bod gen i. Diolch, fydda'i'n iawn."

"Ti'n siŵr? Fydda'i ddim dau funud yn newid hi i chdi. Ceir di 'mhetha fi, lwcus i chdi."

Roedd Morfudd yn casáu pobl ddieithr yn bod yn ffeind efo hi. Doedd hi ddim yn gwybod sut i ymateb. Pam na allai pobl feindio eu busnes a gadael iddi hi ddelio efo pethau yn ei ffordd ei hun? Doedd hi ddim am egluro beth oedd hi'n wneud yma nag o lle roedd hi wedi dod.

"Na dwi'n iawn, sdi, diolch. Dwi'n gwbod be i neud."

"O, dwi'm yn ama' ond ma pedair llaw yn well na dwy, meddan nhw, sdi!"

Pam bod rhaid i bobl wthio eu hunain i'w bywyd fel hyn?

"'Na'i jest sbio yn y bŵt i weld os oes gen i be sydd ei angen."

Agorodd y bŵt a dechrau chwysu. Doedd ganddi ddim clem sut i newid teiar. Efallai y byddai'n rhaid iddi ffonio cwmni i ddod i'w helpu. Byddai hynny'n golygu lorri a goleuadau a ffys. Byddai pobl yn cynnig paneidiau. Beth petai Dyddgu'n dod i weld?

Wrth dwrio o dan y llanast yn y cefn a chodi'r haenen o garped sylwodd fod ganddi deiar ffug ond ddim jac. Daeth yr hogyn ifanc i sefyll wrth ei hochr.

"O, shit, sgin ti'm jac," meddai gan nodi'r hyn oedd yn hollol amlwg. "'Na'i jest piciad mewn fanna a benthyg un mêt fi."

Wrth eistedd yn y car a'i phen ar y llyw teimlai Morfudd fel cymeriad mewn golygfa o ffilm wael. Cododd ei phen a gwylio'r cysgodion y tu ôl i'r ffenest yn toddi i'w gilydd yn wrthrychau di-siâp. Caeodd ei llygaid eto ac erfyn ar i'r olygfa ddod i ben er mwyn iddi gael cychwyn ar ei thaith heb fod wedi denu gormod o sylw ati ei hun.

O'r diwedd daeth y bachgen drwy'r drws efo jac yn ei law.

"Ma chdi, 'li, fydda i'm cachiad rŵan."

"Dwi'm yn gwbod sut alla'i ddiolch i chdi, wir. Gobeithio bo hyn ddim yn ormod o draffarth."

"Arglwydd nachdi siŵr, mond ar 'yn ffordd i'r Black o'n i am gêm o *darts* efo'r 'ogia. *Height o' excitement* Pengroes ar nos Iau, sdi!"

"Ha!" meddai Morfudd a chadw un lygad ar ddrws y dafarn.

Wrth straffaglu i agor y bolltau a chodi'r car dechreuodd yr un ifanc clên ar y cwestiynau di-ri. Pwrpas y daith, o ble roedd yn teithio, i ble roedd yn mynd, pwy oedd hi'n nabod ym

Mhen-y-groes, pwy oedd yn disgwyl amdani pan gyrhaeddai adref, lle oedd ei garej leol, a pha un oedd ei hoff dafarn yn Nolgellau?

Wrth geisio ei gorau i ateb yn amwys a gofyn cwestiynau dwl am geir er mwyn iddo beidio â'i holi, gwelodd bâr o esgidiau uchel ar y palmant. Gan ei bod ar ei chwrcwd ac yn cuddio, dim ond bodiau traed yn picio o'r esgidiau y gallai weld.

"Dach chi'n iawn? Isho help neu ddrinc neu wbath?" meddai'r llais o ben y bodiau. Cyn iddi godi ei phen, gwyddai i bwy y perthynai'r llais.

Llyncodd Morfudd yn galed cyn edrych i fyny ar yr wyneb cyfarwydd. Ceisiodd guddio unrhyw arlliw o adnabyddiaeth. A fyddai Dyddgu yn ei hadnabod hithau? Wedi'r cyfan, hi oedd wedi gyrru'r cais.

Cododd yn araf a syllodd y ddwy ar ei gilydd. Doedd dim yn llygaid Dyddgu. Ond roedd Morfudd yn adnabod pob modfedd o'r wyneb o'i blaen. Roedd wedi twrio drwy luniau o bob ongl a maint. Roedd hi yma o'i herwydd hi.

"So? Tisho?"

"Ym, Isho be?" gofynnodd Morfudd.

"Drinc neu wbath. *On the house*. Bymar i chdi, 'de."

"Na, dwi'n iawn diolch."

"Ti'n siŵr? Os tisho ista'n rwla cynnas jest rho showt ag os dwi ddim tu ôl i bar, dwi fyny grisiau. Jest gofyn am D.D." ac i ffwrdd â hi a'i chynffon ddu yn pendilio ar awyr y nos. Trodd yn sydyn i edrych ar yr hogyn clên.

"Bihafia di heno 'fyd."

Chwarddodd yn ôl yn ddirmygus.

Safodd Morfudd yn ei gwylio yn diflannu drwy'r drws.

"Ti'n iawn?" gofynnodd llais o ochr arall y car.

"Ym, yndw."

"Ti'n edrach chydig yn *startled*."

"Na, dwi'n iawn," meddai Morfudd.

Roedd Morfudd wedi dychmygu y byddai'n cymryd amser i ddod wyneb yn wyneb â hi. Ond dyna lle'r oedd hi yn sefyll ar ochr y palmant yn cynnig diod iddi. Roedden nhw wedi siarad. Nid fel hyn roedd hi wedi dymuno ei chyfarfod. Doedd hi ddim wedi bod yn barod amdani.

Wrth iddi eistedd yn y car yn ffarwelio efo'r hogyn clên, daeth cnoc arall ar y ffenest.

"Rwbath bach i godi dy galon di ar ôl noson *shitty*," meddai Dyddgu gan gynnig bag plastig drwy'r ffenest. "Mond tsioclet a coke dio. Siwgr o hyd yn neud y tric, yndi."

Wrth yrru am adre gwyddai fod ganddi reswm i fynd yn ôl. Doedd hi ddim wedi rhoi cil-dwrn i'r hogyn clên na chynnig arian i Dyddgu gan iddi gadael ei phwrs yn y tŷ. Daeth y ddau beth at ei gilydd yn ei phen. Byddai'n rhaid diolch iddyn nhw'n iawn.

Gallai gysylltu efo Dyddgu pan oedd hi'n barod amdani.

*

Er ceisio sleifio i mewn yn dawel ar ôl cyrraedd adref, fe waeddodd Mali o'i nyth.

"Sut aeth y pilates?"

"Iawn," atebodd Morfudd "Wedi 'mlino fi'n lân. Dwi am fynd i'n llofft i ddarllen. Nos da."

"Nos da," atebodd Mali a'i phen prysur yn cychwyn ar ei siwrnai newydd.

Eisteddodd Morfudd ar ei gwely a llwytho Facebook i'w ffôn. Roedd hi eisiau Dyddgu yn agos heno.

*

Wrth chwyrlïo dŵr dros ei dannedd melyn clywodd Jano ei ffôn yn datgan bod ganddi neges destun.

"Os na Shannon 'di honna yn deud bod un o'r plant yn sâl eto, deud 'thi bo fi'n brysur fory!" gwaeddodd o'r stafell molchi.

"Mali sy'na!" gwaeddodd Tony.

Poerodd Jano'r dŵr dros y sinc a brasgamu at y gwely. "Good god, be ma'r mwnci bach isho, dwad?"

Gwenodd Jano yn llydan wrth ddarllen y geiriau ar y sgrin. Efallai bod cyfle i leisio barn wedi'r cyfan. Cyrliodd yn belen a gwthio ei phen ôl yn dynn o dan blygiadau bol meddal ei gŵr. Gafaelodd yn ei law a'i gusanu. Roedd hi wedi bod yn disgwyl am y neges yma.

*

Ar ôl oriau o stelcian a chasglu manylion tan yr oriau mân roedd Morfudd fel cadach llawr pan drodd Mali'r radio ymlaen am saith y bore. Fyddai hyn yn cythruddo Morfudd bob bore Gwener fel arfer. Sut allai Mali fod mor ddiystyriol â thanio'r radio yn y gegin yn gwybod yn iawn ei bod hi'n dal yn y gwely? Roedd hyn yn rhywbeth y mynnai Dafydd ei wneud hefyd ond wnaeth hi erioed ei daclo. Gwyddai y byddai'n tynnu sylw at un diffyg arall ynddi ei hun. Boregodwyr oedd Mali a'i thad ac roedd eu dywediadau bach am bobl ddiog yn cael eu gollwng yn gelfydd i frawddegau o hyd. Pobl fel hi. "Bore pawb pan godo," fyddai hoff un ei gŵr pe byddai Morfudd wedi meiddio cysgu heibio'r hanner awr wedi saith arferol.

Er y gerddoriaeth wael a oedd yn pwmpio drwy'r gwifrau a'r aroglau anghyfarwydd a dreiddiai drwy'i ffroenau, roedd gwefr cyfarfyddiad neithiwr yn dal yno wrth i Morfudd ymestyn ei chyhyrau hyd eithaf eu gallu. Roedd am gael gwared o'r blinder o'i chorff. Estynnodd ei choesau tua'r nenfwd a lluchio'r garthen blu ar y llawr. Ymestynnodd ei breichiau at y gorchudd golau a grogai o'r to. Gorweddai yno fel creadur mawr a gwagiodd ei hysgyfaint gan adael un anadl ddofn o'i chrombil. Dechreuodd chwerthin. Doedd hi ddim wedi bwriadu i'r sŵn adael ei chorff efo'r fath afiaith. Chwarddodd yn uwch wedi ymgolli yn llwyr yn y foment brin o lawenydd go iawn.

Cafodd y gân bop ddienaid ei diffodd. Roedd Mali wedi clywed ei synau. Gwnaeth hyn y sefyllfa yn ddoniolach byth i Morfudd a dechreuodd grynu wrth geisio peidio â chwerthin ond roedd ei dwylo a'i thraed yn yr awyr fel pe bai'n bryfyn ar ddiwedd ei oes. Daeth ton newydd o biffian drosti. Roedd yn sŵn arallfydol bron a throdd ar ei bol a phlannu ei hwyneb yn y glustog ddofn.

Daeth cnoc dawel ar ei drws. "Ti'n iawn, Morfudd?" meddai'r llais. "Oes 'na rywbeth yn bod?"

Sadiodd Morfudd yn syth pan glywodd y consérn yn llais ei llysferch. Ofnai y byddai'n dod i mewn i'r llofft er nad oedd wedi gwneud hynny o'r blaen hyd yn oed pan oedd ei thad yn fyw.

"Ym... na, dwi'n iawn diolch, Mali. Gesh i bwl o dagu. Rhaid bod pilates neithiwr wedi agor ryw ran ohona i sydd ddim 'di cael ei agor ers hir."

"OK, os ti'n siŵr. Na'i adael gwydrad o ddŵr tu allan i drws i chdi. Dwi off. Dechrau cynnar bora ma. Ta-ta."

"Diolch. Hwyl!" meddai Morfudd.

Wedi i'r drws ffrynt gau yn glep, cododd Morfudd ar ei heistedd a thaenu'r garthen dros ei chorff oer. Roedd 'na rywbeth wedi digwydd iddi neithiwr. Doedd hi ddim yn gallu gwneud pen na chynffon o'r peth fel teimlad na'i ddisgrifio'n iawn. Doedd 'na ddim lliw na blas iddo ond roedd 'na newid ynddi. Nid newid dramatig o fyd y ffilmiau ond roedd rhywbeth wedi clicio yn ei phen.

*

Wrth i Jano gerdded yn ling-di-long i fyny'r llwybr grafel am un munud wedi hanner, edrychodd ar y tŷ carreg hardd yn edrych dros y dyffryn, ei simneiau talsyth yn wag o fwg a'i stafell haul wirion yn symbol o'r ddynes y tu mewn. Hi oedd wedi mynnu cael y bocs gwydr ar ochr yr hen dŷ er mwyn cael gwerthfawrogi'r olygfa o'i blaen ac edrych i lawr ar wehilion fel hi. Tasa 'na fwy o waith ynddi, fasa 'na ddim amser i eistedd mewn stafell haul yn sipian gwin drud ac edrych dros lain o dir a oedd wedi bod yno ers cyn cof.

Byddai'n rhaid iddi fod yn ofalus heddiw wrth dynnu'r stwff o'r guddfan. Roedd y bocs Tupperware yn y bag plastig yn barod i'w lenwi a'i selio'n syth. Byddai'n rhaid iddi ei guddio y tu allan cyn iddi gael ei thalu yn y gegin, rhag ofn i Morfudd arogli'r hyn oedd yn y bocs. Dyma fyddai'r drefn am yr wythnosau nesaf. Byddai'n eu gosod yn y guddfan un wythnos ac yna'n cael eu gwared yr wythnos ganlynol cyn eu gosod yn ôl yr wythnos wedi honno. Byddai hyn yn chwarae efo'i meddwl go iawn.

Gwenodd wrth feddwl mor glyfar oedd hi. Un o wendidau Jano oedd methu cadw wyneb syth wrth ddweud celwydd. Byddai'n rhaid iddi fod yn gryf heddiw. Roedd wedi canfod dros y blynyddoedd bod gwasgu bochau ei phen-ôl at ei gilydd yn helpu rhag gwrido felly byddai'n rhaid gwasgu reit galed heddiw.

Un hawdd i'w dylanwadu fu Jano erioed. Cafodd ei thynnu i fod yn rhan o griwiau o ferched creulon yn yr ysgol ac roedd pigo ar wendidau yn dod yn hawdd. Roedd clywed Dafydd yn siarad efo Morfudd dros y blynyddoedd wedi rhoi'r hawl iddi hithau wneud yr un fath. Doedd Dafydd erioed wedi ei cheryddu am bigo ar ei wraig. Bron nad oedd wedi ei hannog i wneud.

Curodd calon Jano yn gyflymach wrth iddi gnocio ei chnoc arferol ar y drws derw. Wrth agor y drws, daeth dafnau cryf o'r stwff yn yr aer i lenwi ei ffroenau parod. Gwenodd iddi ei hun a gwasgu ei bochau i dynnu'r gwaed i lawr o fochau ei hwyneb smala.

Wrth gerdded i'r gegin i nôl ei hoffer glanhau gwelodd fod Morfudd wrth y cyfrifiadur yn yr ystafell haul. Meddyliodd am y neges a dderbyniodd neithiwr.

Roedd Jano'n casáu pan fyddai ei chleientiaid yn mynnu aros adref tra roedd hi'n gweithio. Roedd y rhan fwyaf wedi darganfod esgusion i adael y tŷ dros y blynyddoedd. Ond nid Morfudd. Roedd hi'n hofran fel ryw wyfyn bach tila o gwmpas y tŷ. Doedd hi ddim yn ei gwylio nac yn beirniadu ei gwaith. Ond roedd hi yno. Pe byddai wedi meiddio pwyntio bys at unrhyw ffaeledd, byddai Jano wedi rhoi pryd go dda o'i thafod ystwyth iddi.

Tri munud a thri deg saith eiliad. Dyna oedd hyd y gwagle rhwng yr "Helô, Fi sy 'ma," a'r "Jano, dwisho trafod rhywbeth." Roedd Jano yn barod amdani.

"Mae 'na rywbeth od yn digwydd yn y tŷ 'ma. Ti 'di sylwi ar yr ogla?"

"Pa ogla?" meddai'n gwasgu yn dynnach nag erioed.

"Nest di ddim ei ogleuo fo pan ddoist ti trwy'r drws?"

"Rargian naddo. Be ydi o?"

"Wel dyna o'n i isho ofyn i chdi. Ty'd i'r coridor."

Dilynodd Jano hi fel hogan fach ufudd at galon y tŷ a chodi ei thrwyn bach smwt i'r aer a gwneud ystumiau sniffio.

"Dim byd," meddai â phob owns o arddeliad a allai wasgu o'i chorff.

"Wel ma hynna'n nyts. Os ti'n cael wiff yn ystod y pnawn, plis gad i mi wbod achos dwisho trio gneud rwbath am y peth."

"Dim probs," meddai Jano yn ddi-ffrwt cyn cychwyn am y twll dan grisiau.

"O, gyda llaw, fydda'i ddim yn aros heddiw. Mae gen i bethau i'w gwneud. Dwi ddim yn siŵr os fydda'i 'nôl erbyn tri felly mi adawa i'r amlen ar y bwrdd."

Llaciodd Jano ei phen-ôl.

Wedi iddi glywed sŵn car Morfudd yn diflannu lluchiodd ei threinyrs ar y llawr a thaflu ei hun ar y soffa felfed las yn yr ystafell fyw. Trodd ei phen tuag at gyrtans y ffenest fawr. Estynnodd am ei ffôn a thynnu hunlun i'w yrru i Tony. Gwnaeth yn siŵr bod y ffenest a'r cyrtans yn glir.

Pan gafodd Tony'r ddelwedd fe ddeallodd i'r dim. Chwarddodd nes bod ei fotwm bol bron â gwthio drwy ei grys T tyn.

*

Gwyddai Morfudd yn iawn i ble'r oedd yn mynd. Doedd hi ddim wedi penderfynu os mai mynd yno i wylio neu siarad oedd hi. Roedd cyfarfyddiad neithiwr wedi ei thaflu oddi ar ei hechel. Roedd wedi gobeithio gallu ei gwylio o bell a phlethu gwybodaeth Facebook i'r gymysgedd yn ei phen. Gorfodwyd nhw i gyfarfod yn rhy fuan. Hi oedd ar fai fel arfer. Roedd wedi ei chynhyrfu a rhoi'r drol o flaen y ceffyl unwaith eto.

Parciodd yn y maes parcio y tu allan i'r siop 'bob dim' yn y dref er mwyn prynu anrhegion i Dyddgu a'r hogyn clên. Wyddai hi fyth beth oedd yn ormod neu'n rhy ychydig. Roedd prynu anrhegion wedi ei llethu erioed. Llwyddodd i wneud llanast ganwaith. Ceryddai Dafydd hi am orwario neu beidio rhoi digon i bobl. Roedd rhai yn taro'r hoelen ar ei phen bob tro ond byddai gwybod beth oedd yn addas yn anodd iddi hi.

Roedd y rhyddid o gael arian yn ei phoced heb orfod gweithio o fewn i'w gyllideb yn dal i'w dychryn ar brydiau. Gallasai brynu unrhyw beth. Ychydig fisoedd wedi iddo farw, roedd wedi meiddio prynu'r car bach coch yr oedd ganddi gymaint o feddwl ohono. Roedd wedi crio wrth ei yrru o'r garej. Nid dagrau o lawenydd oedden nhw. Ofni ei rhyddid oedd hi.

Gafaelodd mewn potel o wisgi fach rad i'r hogyn clên. Edrychai fel hogyn wisgi. Er nad oedd cynnwys y bag plastig yn ddrud, roedd caredigrwydd Dyddgu wedi ei chyffwrdd i'r byw. Byddai'n rhaid peidio mynd dros ben llestri ac eto roedd hi am ddangos ei gwerthfawrogiad. Heb ei dychryn, roedd Morfudd am wneud ei hun yn hysbys.

A dyna lle'r oedd o. Yr anrheg. Ffiguryn ar y silff sêl. Wyneb dynes yn chwythu sws a 'Kindness is Everything' yn frawddeg glên mewn enfys oddi tani. Pum modfedd o blastig perffaith. Dim gormod. Digon.

*

Sylweddolodd Morfudd wrth barcio y tu allan i'r becws na ddylai fod yn gwybod ble roedd Dyddgu'n gweithio yn ystod y dydd. Os oedd hi am fentro i'r siop, byddai'n rhaid gwneud esgus mai cyd-ddigwyddiad oedd iddi benderfynu dod i holi amdani i'r union le lle y gweithiai.

Roedd y bleinds wedi eu codi i ddatgelu Becws y Groes a'i weithwyr. Chwarddodd y weithwraig yn uchel wrth basio torth a chario clecs efo'r cwsmer o'i blaen. Ys gwn i pwy sydd yn ei chael hi heddiw? meddyliodd Morfudd. Pa un o drigolion y pentre oedd yn cael ei chwalu'n eiriol gan y ddwy a safai bob pen i'r siwgr a'r blawd?

Gwyliodd y ddynes yn perfformio i'w chynulleidfa ac ychwanegu cacen i'r bag efo winc fach dawel. Roedd hi'n cerfio lle i'w hun yng nghanol ei chymdogion. Hi oedd yr un radlon, glên oedd yn ffrind i bawb. Hi oedd yn fodlon cyfnewid cyfrinach am gyfrinach gan addo peidio eu pasio ymlaen. Dros y cownter heddiw, roedd 'na stori arall yn cael ei gollwng yn rhydd.

Teimlai Morfudd dros Dyddgu yn gorfod cydweithio efo'r glagwydd lac ei thafod. Rhai fel hon oedd yn destun ei gwawd ar Facebook reit siŵr.

Gwelodd Morfudd ar ei hadlewyrchiad ei hun yn ffenest y becws cyn sylwi ar yr un a ddaeth i'w gwylio.

Roedd y gwallt glasddu a'r gôt glustog wen yn sefyll fel rhithlun ac yn llenwi gwydr y ffenest o'i blaen. Mae'n rhaid bod Dyddgu yn sefyll fodfeddi o fympar ei char.

Plygodd Morfudd i lawr yn sydyn a gwthio ei sedd yn ôl cyn llithro ei phen o dan y llyw. Pe byddai Dyddgu'n troi ei llygaid i'r chwith ac yn edrych i mewn i'r car fe'i gwelai yn cuddio fel plentyn bach. Caeodd ei llygaid. Byddai hynny'n ei gwneud yn anweledig.

A oedd hi'n syllu i mewn ac yn gwgu wrth sylwi ar y teiar ffug a osodwyd ar y car gan yr hogyn clên? Disgwyliodd am y gnoc ar y ffenest. Y gnoc i holi pam ei bod yn eistedd y tu allan i'w safle gwaith.

Ni ddaeth.

Parhaodd y sodlau ar eu taith dros y ffordd a phan glywodd Morfudd gloch drws y becws yn peidio teimlodd yn ddiogel i allu codi ei phen. Rhag ofn bod rhywun yn ei gwylio, fe iselhaodd orchudd haul y ffenest ac edrych arni ei hun yn y drych bychan. Perfformiodd frwsho ei gwallt. Doedd neb yn ei gwylio hi. Ond roedd hi'n gwylio ei hun yn gwylio.

Wedi magu digon o blwc i edrych drwy'r ffenest unwaith eto gwelodd fod Dyddgu wedi tynnu ei gwallt i gyd yn ôl a'i osod o dan het bapur wen. Nid oedd yn gweddu iddi. Roedd ei hwyneb yn rhy welw a'i cheg yn rhy fain. Roedd angen ei chynffon i'w thyneru.

Dechreuodd wau geiriau'r cymeriadau at ei gilydd. Hoffai wylio'r operâu sebon fel hyn. Doedd dim angen clywed y geiriau. Yr un oedd pob stori. Roedd pob golygfa wedi ei strwythuro i fynd â phawb ar yr un daith a'u llywio'n fedrus i garu rhai a chasáu'r lleill.

'Morfudd a Dyddgu,' meddai yn dawel wrthi ei hun. Roedd yr enwau'n gweddu i'w gilydd i'r dim. Ni feddyliodd y byddai'n cyfarfod unrhyw Ddyddgu tra byddai byw, ac yn sicr nid un a oedd wedi dod i chwilio amdani hi. Roedd yn glir ym mhen Morfudd bod Dyddgu ei hangen. Doedd hi ddim am adael hon i lawr.

'Kindness is Everything,' meddai'r frawddeg lachar o dan y ffiguryn plastig ar y sedd wrth ei hochr. Gwenodd wrth ei godi yn ei dwylo. Cofiodd am y wefr o gael ei thusw blodau cyntaf erioed. Roedd popeth amdanynt yn berffaith iddi hi. Roedd sŵn y seloffên y tu ôl i gefn Dafydd wrth iddo geisio eu cuddio y tu ôl i'w gefn yn berffaith ac roedd eu haroglau cryf yn berffaith hefyd.

Doedd hi ddim wedi deall ar y pryd mai anrhegion i leddfu cydwybod oedd petalau.

Gwyddai fod eistedd yn y car yn stelcian yn beryglus ond roedd yr awch i gario ymlaen yn rhy gryf. Yr un oedd yr awch pan ddechreuodd ddwyn.

Roedd rhywbeth dwfn y tu mewn iddi yn ei thywys yn ei blaen. Doedd ei chalon byth yn mynd ar ras pan fyddai'n plannu ei llaw fechan i ganol twb o deganau mewn siop. Byddai'n gwenu'n dawel wrth dynnu'r teclyn lwcus o ganol y teclynnau eraill a'i gario am adref yn ei phoced. Teimlai ei bod yn lleddfu unigrwydd y pethau hyn.

Daeth ton o'r hen deimlad cyfarwydd drosti a gwyddai ei bod ar fin croesi'r ffordd am y becws.

Hyd yn oed wrth i gloch hen ffasiwn y drws ganu dros y siop, ni chododd Dyddgu ei phen. Ysgrifennodd mewn llyfr archebion a chanolbwyntio ar ei gwaith. Roedd Morfudd wedi amseru'r cyfarfyddiad yn berffaith. Roedd y siop yn wag ac felly roedd cyfle i gael mwy nag ambell air efo hi. Safodd ynghanol y llawr a'i ffiguryn a'i photel wisgi y tu ôl i'w chefn ac aroglau cynnes y byns a'r bara yn boddhau blew bach ei thrwyn.

Aeth yr eiliadau heibio a phen y ferch ifanc yn dal i wyro uwchben ei phapur. Wrth graffu'n nes, sylwodd Morfudd mai ffurflen gais oedd o'i blaen ond doedd ei llygaid ddim yn ddigon cryf i weld y manylion.

Gwnaeth sŵn bach i dynnu sylw ati ei hun. Roedd yr hyn a ddaeth allan yn ymdebygu i wich ac yn ddigon i brocio clustiau y weithwraig oedd erbyn hyn yn y stafell gefn yn eisio cacen. Rhuthrodd draw o'r cefn.

"O sori, cyw, do'n i'm yn gwbod bod 'na neb yn disgwl, be allai gael i chdi?"

"Ym," meddai Morfudd gan edrych i gyfeiriad Dyddgu i ddangos ei hanfodlonrwydd.

"M?" meddai'r ddynes heb gydnabod presenoldeb y ferch wrth ei hochr.

"Ga'i dorth fara fach wen a… sgynnoch chi fara brith?"

"Sgynnon ni fara brith ar ôl dwad?" taflodd i gyfeiriad Dyddgu.

"Na," atebodd honno heb godi ei phen.

"Sori, cyw. Wbath arall? Gynnon ni Rocky Roads *amazing* ar *offer* heddiw, ddo. Pedair am bunt. Tisho fi luchio rei mewn i chdi?"

"Diolch."

Wrth i'r ddynes roi'r pethau mewn bagiau papur roedd llygaid Morfudd wedi eu hoelio ar Dyddgu ac edrychodd i lawr ei chlust dde i'w hewyllysio i godi ei phen. Rhag ei chywilydd, meddyliodd. Roedd ei hystum a'i hagwedd yn pryfocio ac roedd eironi y geiriau ar waelod y teclyn yn ei llaw yn ei gwneud yn flin.

Credodd Morfudd ei bod yn gallu gweld Dyddgu yn hanner edrych i lawr i'w chyfeiriad ac yn mwmian i'w hun fel pe bai'n gwneud ati i'w hanwybyddu.

Roedd gwaed Morfudd yn berwi y tu mewn. Unwaith eto, gadawodd i'w dychymyg redeg yn wyllt a chreu sefyllfa yn ei phen. Roedd eu henwau barddonol wedi tanio ryw ffantasi wirion yn ei phen ac wedi codi gobaith am gysylltiad difyr i lenwi gwagedd ei dyddiau. Doedd hon ddim yn haeddu diolch os mai un anfoesgar fel hyn oedd hi. Yr hogyn clên oedd wedi ei helpu go iawn.

Talodd am ei chynnyrch. Hyd yn oed wrth ddiolch wrth

y ddynes a thaflu sylw miniog am wasanaeth penigamp, ni symudodd y pen tywyll un fodfedd. Trodd Morfudd ar ei sawdl a stwffio'r anrhegion i'w phoced. Wrth frasgamu at y drws â'r bara gwyn yn cael ei wasgu'n dalp gan ei dwrn, daeth criw o fechgyn ysgol i mewn gan greu corlan flêr wrth y drws. Ceisiodd wthio heibio wrth iddyn nhw weiddi eu sylwadau glaslancaidd at y ferch ifanc y tu ôl i'r cownter.

"Hei D.D! Sgin ti *sticky buns* i ni heddiw, blodyn?"

Safodd Dyddgu ar ei thraed o'r diwedd a'i dwylo ar led ar y cownter.

"*Sticky bun* i bob un hogyn bach da!" meddai a chwerthin yn agored wrth eu denu i mewn.

Heb eiliad o feddwl fe safodd Morfudd ar ei hunion a gweiddi o du ôl y gorlan destosteron.

"Rocky Road, Dyddgu. Rocky ffycin Road!"

Wrth wthio'r drws yn glep ar ei hôl, fe ganodd y gloch yn uchel y tu ôl iddi a chlywodd chwerthin y bechgyn yn chwyddo wrth i un ohonynt agor y drws a gweiddi ar ei hôl.

"Rocky Road Nytar!" Ro'n nhw yn eu dyblau rŵan ac yn dechrau dilyn eu harweinydd dewr. "Ny. Tar," poerent wrth i Morfudd frasgamu i lawr y stryd wedi anghofio'n llwyr lle parciodd y car.

Doedd ganddi ddim clem i ble roedd hi'n dianc. Gwrandodd arnyn nhw'n gweiddi geiriau a glywodd droeon ar iard ysgol a thu ôl i siediau beics ac fe'i tynnwyd hi'n ôl i'r lle hwnnw y brwydrodd mor hir i beidio bod yn agos iddo.

Roedd y cyfan wedi chwalu. Roedd y byd a greodd lle roedd Dyddgu yn rhan ohono yn chwalu o'i chwmpas. Safai ar ochr stryd heb syniad lle'r oedd ei char na'i phen. Mentrodd un hogyn daflu un arall i'w chyfeiriad cyn mynd am ei *sticky bun*: "Ti off dy..."

"Cau hi!' meddai llais awdurdodol. "Dos i mewn. Rŵan."

Ufuddhaodd yn syth. Nesaodd Dyddgu. Gwyddai ei bod wedi gweld y ddynes yma'n rhywle. Plethodd ei breichiau'n herfeiddiol a sefyll o flaen Morfudd.

"Reit. Dau beth. I ddechra, amdan be ffwc oedd hynna i gyd? A *number two*, sud ffwc w't ti'n gwbod enw iawn fi?"

Berwodd pen Morfudd o nadroedd a hisiai yn uchel tu mewn i'w phenglog. Pob un a'i thafod fach yn trio gwthio trwy'r ceudyllau y tu ôl i'w chroen. Symudent yn araf a phwyso ei thalcen at y llawr dan eu pwysau. "Meddylia, Morfudd," sibrydodd un drwy dwll bach ei chlust.

"Atab fi," meddai Dyddgu a'i hwyneb wedi caledu'n graig.

"Dwi, ym..." Roedd hi'n amau ei bod am chwydu. "Dwi..."

"Dwi be? *Spit it out*, ddynas."

"Dwi'n mynd i fod yn sic."

"Ffyc. Paid â neud o'n fanma ar stryd. Dos i mewn i fanna," meddai a phwyntio at ddrws y caffi y tu ôl iddi.

Rhedodd Morfudd drwy'r caffi ac yn syth am y tai bach cyn i neb allu ei stopio. Rhoddodd ei phen i lawr y pan a daeth hanner ei pherfedd a nadroedd swnllyd ei hymennydd yn un sblash i ganol y dŵr. Sychodd y sêt a chau'r caead ac eistedd arno. Estynnodd ei phengliniau at ei pheneliniau a gafael yn dynn am ei gwddf.

A fyddai ei meddwl yn gallu rhoi arweiniad iddi i ddarganfod y geiriau iawn?

Sut oedd cyfiawnhau ymddygiad mor warthus? Cododd ei llaw at ei hwyneb a rhoi slaes i'w boch. Unwaith. Dwywaith. Teimlodd y gwaed yn llifo i'w bochau i ryddhau mymryn ar ei phoen.

Roedd Morfudd wedi cymhlethu pob sefyllfa erioed.

Ceisiodd hyfforddi ei hun i ymddwyn fel pawb arall ond rhywsut roedd yr hen gastiau yn mynnu codi eu pennau o hyd. Rhoddodd un slaes olaf i'w boch cyn cerdded allan i wynebu'r ferch oedd yn disgwyl eglurhad.

Eisteddai Dyddgu ar ochr y bwrdd wrth y ffenest yn siarad efo perchennog y caffi.

"Dwi 'di egluro bo chdi'n disgwl a bo chdi'n diodda o *sickness*," meddai wrthi.

"Diolch... a sori," atebodd Morfudd.

"Ti'n gwbod be ti'n ga'l?" gofynnodd y perchennog.

"Na," meddai gan osgoi llygaid y ddwy.

Edrychodd y ddynes ar ei bol: "Hogyn. Garantîd."

Gwenodd Morfudd drwy ei dannedd.

"Stedda," gorchmynnodd Dyddgu.

Ufuddhaodd Morfudd gan wynebu'r ffenest i wneud yn siŵr bod y byd yn dal y tu allan i'r drws.

"Ffycin hel. *Got it*!" datganodd. "Nithiwr. Chdi 'di'r ddynas efo pyncjar!"

"Wedi dod yma i ddiolch ydw i," meddai Morfudd.

"*No shit*," poerodd Dyddgu. "Gin ti ffor' od o ddiolch, oes?"

"Oes. Dwi'n rili sori."

"Pam ffwc nest di stormio off a rhegi arna fi a galw fi'n enw does 'na neb ond nain fi rioed 'di galw fi?"

Cynhyrfodd Morfudd o'i chlywed yn dweud enw ei nain: "O'n i isho rhoi rwbath i chdi."

"Ti'n neud *gestures* fel'ma i bawb sy'n bod chydig bach yn neis efo chdi?"

"Nest di a'r hogyn clên achub fi neithiwr."

"Hogyn clên *my arse*! *Prick* dio. Fatha rhan fwya o *pricks* rownd fforma."

Byddai'n rhaid i Morfudd ymwroli a bod yn onest. Roedd Dyddgu'n haeddu hynny.

"Nest di ddim codi dy wyneb un waith tra ro'n i yn y siop. Ro'n i'n trio cael dy sylw di ond oeddat ti'n llenwi ffurflen a bod yn rwd."

Plygodd Dyddgu ei breichiau unwaith eto a phwyso yn ôl yn ei chadair i wrando.

"O, ia?"

"A pan ddath yr hogia ysgol i mewn, nest di newid yn llwyr a dechra fflyrtio."

"O! Jelys ti! Dyna 'di hyn. Ti'n ffansïo fi?"

"Nac ydw."

"Wel sgiws mi ond dyna ma'n edrych fatha o fama."

Nid dyna beth oedd wedi ei denu ati. Gwyddai hynny.

"Sgin ti'm ffwcin clem nagos?" meddai Dyddgu yn gwyro'n bwrpasol tuag ati.

"Ti'n cerddad mewn i siop a gneud *assumptions* amdana fi achos bod petha ddim 'di mynd cweit mor neis ag oeddan nhw yn dy ben bach *middle class* di. Wel dim jest amdana chdi ma'r bywyd 'ma a sud w't ti isho i betha weithio allan, sdi."

Caeodd Morfudd ei llygaid wrth glywed y dirmyg y tu ôl i'w geiriau. Gwyddai ei bod yn dweud y gwir. Roedd Dafydd wedi dweud wrthi mor hunanol oedd hi erioed.

"I chdi ga'l gwbod, ma job *bakery* yn dod i ben a dwi'm di gallu ffindio dim byd arall yn y ffwcin twll 'ma. A nithiwr, ar ôl i chdi adael yn car bach neis chdi, nesh i golli job pyb fi achos nath dy hogyn bach clên di feddwi'n racs a rhoi *abuse* i fi so nesh i hedbytio fo so dwi'n *sacked*. So dwi'n rili sori bo fi 'di yspetio chdi nes bo chdi'n crio mewn i bara ffwcin brith chdi."

Roedd Morfudd yn fud.

"A'r hogia? Ma nhw fatha brodyr. *End of.*"

Llanwodd llygaid Morfudd i'r ymylon a thynhaodd ei gwddf.

"*For Christ sakes*, peth dwytha dwisho 'di dagra."

Dyna'r peth dwetha roedd Morfudd eisiau hefyd. Twriodd Dyddgu yng ngwaelod poced ei brat a chynnig hances bapur hen iddi.

"Be 'di enw chdi?" gofynnodd yn dynerach.

"Morfudd."

"O'n i'n nabod Morfudd ers talwm. Ond fasa hi ddim yn crio fatha babi fel chdi."

*

Roedd Jano wedi ateb Mali ac wedi dweud wrthi y byddai'n picio i'r swyddfa ar ei ffordd adref. Roedd hi a Tony wedi trafod y sefyllfa tan ddau o'r gloch y bore. Er na wyddent yn iawn beth oedd ar feddwl Mali, daethant i'r penderfyniad bod rhaid iddyn nhw geisio rhannu'r hyn oedd wedi bod yn eu poeni ers cyhyd. Doedd hyn ddim am fod yn hawdd.

Peth rhyfedd oedd teyrngarwch. Gwyddai Jano i bethau fod yn anodd i Mali pan fu farw ei thad. Yn sicr, ni fyddai perthynas rhyngddi hi a Morfudd heblaw am sefyllfa'r tŷ. Er hynny, roedd y neges destun yn awgrymu ei bod yn poeni amdani. Byddai'n rhaid i Jano fod yn ofalus iawn wrth geisio cyflwyno'r wybodaeth a oedd wedi bod yn eu poeni ers y noson erchyll honno bron i dair blynedd yn ôl.

Yr oedd gan Jano feddwl y byd o Mali. Roedd wedi ei gwylio yn tyfu i fod yn ferch ifanc brydferth fel ei mam. Roedd ganddi'r un sbarc. Er bod Shannon a hi wedi ymbellhau ers i Mali ddilyn llwybr cyfreithiol, roedd ei hymweliadau â nhw pan ddôi adref o'r coleg dros y blynyddoedd yn werth y byd i'r teulu cyfan. Roedd Shannon yn fam i dri o blant ac yn crafu byw fel ei mam. Gwirionai ar y nosweithiau pan fyddai Mali yn dod adref o'r coleg i adrodd ei hanesion.

Ond roedd yna un peth nad oedd Jano wedi gallu ei drafod. Gobeithiodd fod sgwrs heddiw yn mynd i allu agor cil y drws.

Wrth gerdded i lawr yr allt serth dechreuodd Jano boeni bod Mali wedi dod i wybod am y gemau bach o gwmpas y tŷ. Gobeithiodd nad hynny oedd ar ei meddwl. Byddai cael ffrae gan Mali yn brifo. Gafaelodd Jano yn y bocs plastig o dan ei chesail a'i luchio i'r bin ar y sgwâr.

Dyma'r tro cyntaf i Jano fynd i weld Mali yn y gwaith ers iddi gychwyn ei lleoliad yn hen swyddfa ei thad. Roedd ei gweld y tu ôl i'r ddesg lle cychwynnodd Dafydd ei yrfa yn bleser pur.

"O sbia arna chdi, mwnci bach!" meddai wrth i Mali godi a dod drosodd i'w gwasgu'n dynn.

"Dwi'n gwbod. Nyts, dydi!" meddai Mali. "Alla'i dal ddim credu'r peth rili."

"O Mals, fasa fo wrth ei blydi fodd, basa?"

"Basa, basa."

Aeth Mali i nôl cadair a'i gosod yr ochr arall i'w desg. "Ma'r lleill ar gwrs heddiw. Gawn ni fanma i ni'n hunain."

Wedi chwerthin ar hanesion ei gilydd a dyfynnu straeon bach am blant Shannon fe ofynnodd Mali y cwestiwn anochel.

"Wyt ti'n meddwl bod Morfudd yn ymddwyn yn od?"

Roedd Mali'n hollol ymwybodol o'r berthynas rhwng Morfudd a Jano a gwyddai mai rholio llygaid a jôcs fyddai'r ymatebion cyntaf. Ond roedd hefyd yn gwybod bod Jano yn rhan o'r teulu ers blynyddoedd a bod ei thad wedi ymddiried ynddi. Cofiai i Jano fod yno yn ystod cyfnod y ffraeo.

Ers gweld llun y ferch ifanc ar y sgrin, roedd cof plentyn Mali wedi ceisio rhoi'r darnau at ei gilydd. Cofiodd fod ei thad wedi ei wallgofi gan ei chyfeillgarwch efo rhywun ar y we.

Roedd ei henw hi wedi ei boeri o'i enau dros y bwrdd swper un noson cyn i Morfudd redeg allan o'r tŷ. Roedd Jano wedi ei galw i eistedd efo Mali tra y gyrrodd ei thad o gwmpas y lonydd cefn yn chwilio am ei wraig. Roedd hi wedi syrthio i gysgu erbyn iddo gyrraedd adref. Yn y bore, roedd Morfudd yn cysgu'n dawel o dan y cynfasau.

Roedd gweld llun y ferch ar y cyfrifiadur neithiwr wedi ei siglo ond ni wyddai pam. Gwyddai hefyd ei bod wedi dweud celwydd am y pilates. Pam cuddio i ble yr oedd wedi bod?

Gwrandawodd Jano ar bryderon Mali a cheisio dwyn i gof beth oedd sail y ffrae. Addawodd geisio cofio enw yr un oedd wedi peri cymaint o ofid yn y tŷ. Ni ofynnodd beth oedd cyd-destun yr holi. Roedd yna rywbeth mwy o lawer yn pigo ei meddwl ond penderfynodd gadw'r wybodaeth iddi ei hun heddiw. Byddai'n gwahodd Mali i'r tŷ i yfed a chwerthin. Efallai y dôi'r geiriau'n haws.

*

"Morfudd. Hi oedd ffrind gora Mam cyn i Mam farw," meddai Dyddgu.

"Dwi'n sori."

"Paid â bod. Odd hi'n alcoholic drwg ac yn *shit* o fam a nath hi ddewis y *booze* yn lle ni a nath ei horgana hi ffeilio a... nath hi farw."

Gwrandawodd Morfudd ar Dyddgu yn egluro sut oedd Morfudd wedi bod mor glên efo nhw yn ystod cyfnodau drwg ei mam. Byddai'n darllen stori ac yn golchi eu dillad a chadw'r tŷ yn lân er ei bod hi hefyd yn yfed yn drwm. Symudodd i ffwrdd wedi iddi golli ei ffrind gorau ac fe gollodd gysylltiad efo nhw blant. Clywodd Dyddgu yn ddiweddar bod si ar led ei bod hithau hefyd wedi ildio i'w brwydr efo'r botel.

"Ond weithia pan dwi'n meddwi'n tŷ dwi'n chwilio amdani ar Facebook. Jest rhag ofn."

Teimlodd Morfudd y gwaed yn llifo o'i gwythiennau.

"Dyna pam nest di yrru cais ffrind i fi?"

"I be ffwc 'swn i'n neud hynna? Dwi'm yn nabod chdi."

"Dyna be o'n i'm yn ddeall."

Yn sydyn chwyddodd llygaid Dyddgu fel soseri, y bywyd yn llifo i'w chanhwyllau duon.

"Ffyc mi!"

Lluchiodd ei phen yn ôl ac yna gosod ei hwyneb wrth ei hwyneb hi.

"Ti'n un o Morfudds fi?" Craffodd arni a gadael i'w llygaid fapio pob modfedd ohoni.

Gan nad oedd Dyddgu'n cofio ail enw ffrind ei mam, bu'n gyrru ceisiadau i bob Morfudd a welai ar Facebook pan oedd yn chwil gan obeithio ei ffeindio. Heblaw am ei nain, hi oedd yr unig un a ddangosodd wir garedigrwydd ati erioed.

"Dwi ddim yn cael *response* fel arfar ond withia ma 'na rei yn acseptio fi a dwi'n gweld yn syth na dim Morfudd mam ydyn nhw so dwi'n delitio nhw. Dwi'm yn gwbod sut nest di slipio drwy'r net."

Gwyliodd Morfudd hi gan geisio celu ei siom.

"Ti'n edrych yn *pissed off.* Paid â edrych arna fi fel'na. *Genuine* mistêc oedd o, sori. Rhaid i fi beidio mynd ar Facebook pan dwi'n *pissed.*"

Syllodd Dyddgu yn hir arni'r tro hwn.

Pinsiodd Morfudd dop ei choes a suddo ei hewinedd i'r bloneg. Roedd hyn yn tynnu'r brifo o'i thu mewn. Canolbwyntiodd ar y rhan fechan friwiedig i atal ei hun rhag rhoi cerydd uchel iddi'i hun. Eisteddodd ar ei llaw arall a derbyn mai camgymeriad chwil oedd hi. Camgymeriad fu hi erioed.

"Ti'n licio enw chdi?" gofynnodd Dyddgu o nunlle.

"Nac ydw," meddai Morfudd yn syth.

"Oni'n meddwl. Alla i'm credu bod mama ni 'di bod mor *cruel*. Dwi'n meddwl bod hi *actually* yn *pissed* pan ath hi i rejistro fi."

Gwenodd Morfudd wrth feddwl am ei arwyddocâd. "Dwi'n licio dy enw di," meddai'n ddidwyll.

"*You must be joking*! Dwi mond yn roid o ar Facebook fel *tribute* i Nain."

"Oeddat ti'n agos at dy nain?" gofynnodd Morfudd i geisio ei thyneru.

"Mwy na agos. Hi oedd bywyd fi."

Gwrandawodd Morfudd ar ei straeon am ei nain ac yn raddol fe ollyngodd ei gafael ar y tamaid croen ar dop ei choes. Roedd wedi astudio pob modfedd o hon. Roedd wedi rhedeg ei bys ar hyd ei boch ac wedi gaddo iddi y byddai popeth yn iawn.

"Mori!" meddai Dyddgu wrth daro ei mwg ar y bwrdd.

"Pwy?"

"Ti'n edrach fatha Mori. Ma'n rhoid *mystery* i chdi. A mae o'n enw cŵl."

"Dwi'n licio fo," meddai Morfudd yn cogio bach.

"Mae o'n rili siwtio chdi."

Edrychodd Dyddgu ar ei horiawr.

"Blydi hel! Eith Anwen yn nyts. Dwi off. T-ra!"

Rhedodd allan a'i gwallt yn disgyn yn flêr dros ei het.

Mewn eiliad roedd hi'n llenwi'r gwagle'n ôl.

"Lwcus i chdi, dwi'n licio pobol *weird*."

Symudodd Morfudd o'i sedd yn sydyn. "O'n i 'di prynu rwbath bach i chdi am neithiwr ond o'n i'm 'di teimlo'n iawn i roi o i chdi."

Plannodd Morfudd ei llaw yn ei phoced a gosod yr anrheg ar y bwrdd.

"Ha! Diolch. Ga'i drownio *sorrows* fi yn hwnna heno." Gafaelodd yn y botel wisgi a diflannu'n un swp lawr y stryd.

Wrth dalu a cheisio osgoi cwestiynau'r perchennog am ddyddiadau geni a mêcs prams gafaelodd Morfudd yn dynn yn y tegan yn ei llaw.

Fe ddôi'r amser iawn i hwnnw.

*

Erbyn iddi gyrraedd yn ôl roedd Jano wedi gadael ac am y tro cyntaf ers wythnos roedd aroglau cyfarwydd ei thŷ yn treiddio drwy'r cyntedd am y drws ffrynt. Agorodd ei ffroenau ac arogli'r aer. Diflannodd y pydredd ac yn ei le fe ddaeth arogleuon hylifau glanhau. Roedd hi'n casáu yr aroglau cemegol yma fel arfer ac wedi gofyn i Jano ganwaith am geisio dod o hyd i hylifau mwy naturiol. Doedden nhw ddim i'w cael oedd ateb Jano a chredai Morfudd iddi ddefnyddio rhai cryfach wrth i'r blynyddoedd fynd heibio.

Roedd yr aroglau'n dderbyniol iawn prynhawn 'ma. Gwnaeth ei thaith arferol at yr alarch gwydr a bwyntiai ei big at y ffenest: "Fforna ma dy big di fod," meddai a'i droi at y wal. Cofiodd am y ffiguryn yn ei phoced a'i osod ar y silff.

Roedd y daith am adref wedi bod yn bair o boenydio a llawenydd. Roedd wedi ffieiddio ati'i hun a'i hymddygiad plentynnaidd. Er i Dyddgu fod yn finiog ei thafod, gwyddai Morfudd ei bod wedi meddalu tuag ati. Doedd Dyddgu ddim mor galed ag yr ymddangosai ar Facebook ac er mai ar ddamwain y cysylltodd, darbwyllodd ei hun fod hyn i fod.

Roedd Dyddgu bellach yn berson cig a gwaed. Roedd hi wedi ei hoffi. Roedd *weird* yn brydferth, meddyliodd.

Cofiodd fod Mali yn disgwyl cael ei bwydo ac y byddai dan draed tan nos Sul. Byddai'n gorfod mynd i weld ei mam yn y cartref o'r herwydd er mwyn llenwi ei bore a phlesio mymryn ar y gweithwyr gofal beirniadol.

Agorodd gypyrddau'r gegin i chwilio am ysbrydoliaeth ar gyfer swper. Dim ond ryw dri pryd oedd yn ei *repertoire*. Ceisiodd wthio ei ffiniau droeon ond roedd y siom o weld ei chreadigaethau yn bylpiau di-siâp yn ddigon i wneud iddi lynu at yr hen anwyliaid.

Eog a ffa, cyw iâr Jamie a spaghetti bolognese oedd y ffefrynnau. Arferai goginio cig oen ond doedd hi ddim wedi mentro ers i Dafydd farw.

Roedd aroglau cig oen yn codi pwys arni. Mynnai ei gŵr mai dyna oedd ar y fwydlen pan fyddai'n gwahodd ei ffrindiau i'r tŷ. Nid ffrindiau go iawn oedd y rhain, doedd dim llawer o'r rheiny i'w cael. Pobl oedd Dafydd eisiau eu plesio oedden nhw.

Dadrithiwyd Morfudd droeon yn ystod y nosweithiau arteithiol yma. Doedd hi erioed wedi profi ymddygiad o'r fath. Gwyliai bobl dosbarth canol parchus yn raddol newid eu ffurf a throi'n anifeiliaid. A'r gwaethaf un oedd ei gŵr ei hun. Yn y blynyddoedd cynnar byddai'n trefnu tacsi i fynd â'i westeion yn ôl a blaen o'u cartrefi ond wrth i'r saig cig oen ddod yn rhan annatod o'r noson, felly hefyd y daeth y powdr gwyn at y bwrdd.

Doedd dim modd cael gwared ohonynt wedi i'r rhai parchus ddarganfod y cocên. Byddai'r malu cachu a'r llyfu tin yn parhau tan i'r haul bicio'i ben dros yr Aran. Darganfyddai Morfudd gyrff ym mhob twll a chornel o'i thŷ yn y bore.

Byddai ei gŵr fel arfer yn dal wrth y bwrdd yn gafael ym mreichiau un o'r gwesteion gan ddatgan ei edmygedd a'i gariad dwfn at bawb. Byddai ei lygaid fel platiau a'i geg yn un felin o ddolur rhydd.

Gwell oedd ganddo ei hanwybyddu a'i bychanu hi drwy'r nos er mwyn gwrando ar bobl led alluog yn doethinebu am wleidyddiaeth, celfyddyd a chrefydd. Doedd dim byd yn fwy diflas i Morfudd.

Pan fentrodd awgrymu ei bod hi'n amser i bawb adael un bore ac y byddai Mali yn cyrraedd ymhen ychydig oriau, daeth y cytundeb i fod.

Roedd Dafydd yn dal dan effaith y cyffur a'i lygaid gwyllt a'i stumiau herciog yn gwneud iddo edrych fel dyn o'i go'. Wedi iddo wasgu a chusanu ei westeion yn rhy dynn ac esgusodi ymddygiad ei wraig fe safodd o'i blaen.

"Stedda," meddai fo heb allu dod yn agos i wneud hynny ei hun. "Dyma'r rheolau o hyn ymlaen. Paid ti â meiddio codi c'wilydd arna i fel'na eto."

Sgryffiniodd dair rheol annealladwy ar y papur gwyn a gofyn iddi lofnodi'r gwaelod. Darllenodd ei eiriau iddi.

"Paid byth â fy mychanu fi yn gyhoeddus.

Paid byth â gofyn am bres.

Paid byth â dadwisgo y tu allan i'r stafell wely."

Roedd llofnodi yn haws na gorfod ffraeo am oriau a hithau'n gwybod bod Mali ar ei ffordd.

Wedi hynny, fe gaeai ei hun yn ei hystafell gan amlaf yn gobeithio na fyddai neb yn sylwi neu'n dod i chwilio amdani. Y fflyrtio oedd waethaf. Gwyddai am y gwendid yma cyn ei briodi ond roedd wedi llwyddo i'w anwybyddu. Gwaethygu a wnaeth nes troi'n arf amlwg yn ei herbyn.

Nid cenfigen a deimlai wrth wylio wincs bach slei a dwylo'n

dringo drwy agoriad bychan y drws. Gwylltineb tawel oedd ynddi. Berwai y tu mewn wrth sbecian ar ei ymddygiad diystyriol tuag ati. Gwyddai fod llawer o'r merched yn gwingo o'i weld yn dod yn agos. Ond roedd rhai yr un mor greulon ag o.

Gwylio a gwrando'n dawel a wnaeth hi am flynyddoedd cyn cael ei chau rhag y byd.

Dyna pryd y daeth y Sauvignon a geiriau Lleuwen a Cerys a Gwyneth yn gymaint o gysur.

Byddai'n gwrando a gwrando.

Ond, mae'n brifo i'r byw.
Pwy ddiawl ydw i?
Dwni ddim yn fy myw
Pwy ddiawl ydw i?
Ben 'yn hun yn y criw.
Pwy ddiawl ydw i?
Dwi'n nabod lliw
Dy lygaid di...
Dwi'n nabod lliw dy lygaid di
Pwy ddiawl ydw i?

Wrth gau drws y rhewgell a sylweddoli nad oedd ganddi'r cynhwysion ar gyfer un o'i phrydau arferol, penderfynodd wthio'i ffiniau a chreu pryd o'r newydd. Trodd y radio i fyny a thynnu yr hen lyfrau coginio o ben y silff. Agorodd botel o win gwyn ac arllwys gwydrad bach cyn dechrau twrio drwy'r tudalennau lliw.

Erbyn iddi glywed sŵn car Mali yn dod i fyny'r lôn fach, roedd tri chwarter y botel ynddi hi a chwarter ei chynhwysion prin dros y llawr.

"Haia, Morfudd!" meddai llais llawen Mali wrth ddod drwy'r drws, "Gest di 'nhecst i?"

Camodd i'r gegin, "A! Yn amlwg ddim." Cododd ddau fag papur brown. "Têc-awe. Indian."

"*Typical*!" meddai Morfudd.

"Nesh i yrru i ddeud wrthat ti beidio boddran gneud bwyd gan bod hi'n nos Wener. Trît bach i ni."

"Wel, nesh i'm gael o naddo? Faswn i'm 'di mynd i gymaint o draffarth 'swn i'n gwbod, naf'swn."

"Sori, Morfudd."

Ar hynny, cerddodd Morfudd o'r gegin am ei hystafell wely. Unwaith eto roedd Mali wedi llwyddo i'w bychanu a thynnu sylw at ei diffyg sgiliau yn y gegin. Roedd hi'n eithaf sicr na dderbyniodd unrhyw decsts. Roedd wedi bod yn gwrando am neges gan Dyddgu. Gwyrodd i lawr tu ôl i'r gwely lle roedd wedi plwgio'r ffôn i'r wal. Roedd y sgrin yn ddu a switsh y plwg i ffwrdd.

Eisteddodd yn y tawelwch yn gwybod ei bod wedi gor-ymateb. Byddai'n rhaid cael hyd i esgus am ei hymddygiad gwael. Gobeithiai na sylwodd Mali ar y botel a oedd bron yn wag.

Wrth i'r bywyd lifo'n ôl i'r ffôn daeth un neges Facebook ac un neges destun. Gwyddai yn syth gan bwy oedd y testun ond pan welodd enw 'Dyddgu Lloyd Smith' yn disgleirio ar y sgrin, fe gyffrôdd.

Nid oedd am ei darllen yn syth bin. Roedd am ei chadw tan ar ôl swper. Cerddodd yn ôl ag egni newydd yn rhedeg drwyddi.

Derbyniodd Mali yr ymddiheuriad gan wrando ar Morfudd yn gwneud esgusodion am hormonau bregus a diffyg cwsg. Disgynnodd ar ei bai am amau Mali a beio'i chof blinedig am beidio plygio'r ffôn i'w wal.

"Ydi bob dim yn iawn, Morfudd? Oes 'na reswm pam bo chdi'n teimlo'n emosiynol?" gofynnodd Mali.

Daeth y cwestiwn fel bollt.

"Na. Wel. Ym... Tydi... Mam ddim yn grêt. Bydd rhaid i mi fynd i'w gweld hi fory mae gen i ofn."

"O dwi mor sori. Gobeithio bydd hi'n iawn," meddai gan ei gwylio'n ofalus.

Roedd mam Morfudd wedi hoffi Mali erioed. Gwyliodd hi'n tyfu ers ei bod hi'n hogan fach. Prociodd ei merch droeon am nad oedd hi a Dafydd wedi rhoi brawd neu chwaer fach iddi. "Mae'r hogan bach yn haeddu cael cwmni. Does 'na neb isho bod yn unig blentyn," dywedodd fwy nag unwaith. Wrth gwrs, roedd yna ergyd hyll i'w geiriau fel erioed. Unig blentyn oedd hi a'r rheswm am hynny oedd na fyddai ei mam wedi gallu magu un arall a hithau wedi bod yn gymaint o fwrn. "Faswn i byth wedi gallu cael un arall fatha chdi," oedd un o'i hoff frawddegau milain.

"Reit!" meddai Morfudd yn ceisio newid y pwnc. Roedd y gwin yn teithio'n braf o un gwythïen i'r llall: "'Na'i osod y bwrdd a llnau'n llanast a gei di agor y botel win a rhoi'r bwyd yn y stôf i gynhesu chydig."

Wedi i'r ddwy orffen eu tasgau, fe eisteddon nhw gyferbyn â'i gilydd wrth fwrdd y gegin. Edrychodd Morfudd ar ei llysferch wrth i olau'r lamp daro ochr ei hwyneb. Rhyfeddai pa mor debyg i Dafydd oedd hi.

"Ti'n colli Dad?" gofynnodd Mali fel pe bai wedi deall ei meddwl.

Roedd ei chwestiwn yn brathu "Yndw, weithiau," meddai'n dawel.

"A fi."

Doedd Mali erioed wedi gofyn cwestiwn fel hyn o'r blaen.

Roedd Morfudd wedi osgoi unrhyw holi a fyddai'n gwthio'r ddwy i dir anghyfarwydd. A oedd yn ddyletswydd arni i barhau efo'r drafodaeth?

Edrychodd y ddwy ar ei gilydd, y naill yn ceisio darllen meddwl y llall. Gwenodd Morfudd. Gwên oedd yn galluogi Mali i wthio ymhellach.

"Dwi'n meddwl amdano fo bob dydd, sdi. Dwi'n trio peidio meddwl am y ffordd nath o farw a faint nath o ddiodde."

"Dwi'n siŵr bod o ddim 'di diodde. Dyna ddudon nhw, 'de. Dwi jest yn poenydio'n hun mod i ddim yma ar y noson."

"Ma gen i ofn anghofio fo."

"'Nei di byth mo hynny," meddai Morfudd gan obeithio mai dyna ddiwedd y sgwrs.

"Dwi'n trio cofio ei lais o weithiau a dwi jest methu," mentrodd Mali.

"Mi ddaw petha'n ôl i chdi pan ti'm yn gwrando amdanyn nhw, gei di weld."

Dyna'r peth cynhesaf a ddywedodd Morfudd erioed wrth ei llysferch.

Llowciodd Morfudd y gwin o'i blaen gan ddiolch fod y botel wedi gwneud iddi ymlacio ddigon i allu troedio tir mor anwastad.

"Wyt ti'n gweld dy hun yn priodi eto?" lluchiodd Mali i'r pair.

"Waw!" atebodd Morfudd. "Ti'n mynd amdani go iawn heno!"

"Ti'n dal yn ifanc... ag yn ddel."

Ai canmoliaeth ddidwyll oedd hon neu a oedd yna ystyr arall i'r procio heno? Llyncodd Morfudd ei phoer.

"Dwi ddim wedi sbio ar ddyn arall yn y ffordd yna ers dy dad."

"Wir?" gofynnodd Mali.

Bu bron i Morfudd godi a cherdded i ffwrdd unwaith eto.

"Wir," atebodd.

"Faswn i ddim yn meindio os fasat ti wedi dechrau gweld rywun, sdi."

"Ond dydw i ddim," atebodd Morfudd yn dechrau teimlo'n flin bod caniatâd Mali yn rhywbeth y dylai ofyn amdano o gwbl.

"Ocê, os ti'n deud," meddai Mali.

Canolbwyntiodd y ddwy ar y bwyd ar eu platiau.

"O lle mae hyn wedi dod?" gofynnodd Morfudd yn siarp.

Lledodd gwên Mali a synhwyrai Morfudd bod gan y ferch ifanc rywbeth i'w ddweud.

"Sut oedd y pilates, 'ta?"

Dechreuodd ewinedd Morfudd chwilio am y man diogel drwy'r cnawd o dan y bwrdd. Roedd Mali yn amlwg yn deall mwy nag a dybiai felly cam gwag fyddai iddi balu twll iddi ei hun. Aeth y ferch ifanc yn ei blaen.

"Gesh i alwad ffôn ddiddorol neithiwr cyn i chdi gyrraedd adra gan ryw Andrea Thomas yn gofyn os oedd 'na reswm pam bo chdi'm yn y dosbarth pilates."

"Blydi hel," meddai Morfudd yn flin.

"So, yn amlwg mae'n mrên bach i wedi mynd i *overdrive*."

Roedd Morfudd yn benwan. Penderfynodd Mali beidio â gofyn am y llun a chadw pethau'n ysgafn i weld faint oedd hi'n fodlon ei rannu.

"Glywish i synau *weird* yn dod o dy lofft di bora 'ma. O'n i'n meddwl falla bo chdi'n cael *phone sex*!"

"*Phone sex*?" meddai Morfudd yn diolch am drywydd newydd.

"Rhaid chdi beidio bod yn *embarassed* os ti'n gweld rywun, sdi," ychwanegodd y ferch ifanc yn gelfydd.

Plannodd Morfudd ei phen rhwng ei dwylo a ffugio cau ei llygaid yn dynn mewn cywilydd. Roedd dychmygu ei llysferch yn meddwl amdani'n cael rhyw dros y ffôn yn ddigon drwg ond roedd meddwl am esgus dilys am ei hantur go iawn yn waeth.

Yn lle glynu'n agos i'r gwir daeth hen arferiad o ddweud y celwydd cywreiniaf drwy'i cheg.

"Profion."

"Profion?" gofynnodd Mali.

"O'n i'n gorfod cael profion am rwbath."

"Ti'n iawn?"

Dechreuodd chwydu geiriau heb arlliw o sail na gwirionedd a mynd i hwyliau yn ei chelwydd ei hun.

"Dwi jest yn gorfod cael profion am rwbath sydd wedi bod yn 'y mhoeni fi ers misoedd. Alla i'm deud wrthat ti ar hyn o bryd ond dwi'n delio efo fo."

"Dwi mor sori," meddai Mali.

"Mae'n well bo fi'n cael ei sortio fo. Gesh i *appointment* byr rybudd neithiwr mewn clinic hwyr. Sori am ddeud clwydda."

"Paid ag ymddiheuro."

"Dwi'm yn barod i ddeud wrth bobl ar hyn o bryd. Os elli di gadw fo i chdi dy hun, plis."

"Wrth gwrs. 'Na'i ddim deud wrth un enaid byw." Llenwodd y ddau wydr o'i blaen. "Dwi'n siŵr fydd popeth yn iawn, sdi."

"Dwi'n gobeithio wir," meddai Morfudd a'i llygaid yn llusgo ar y llawr.

Croesodd Mali i'w hochr hi. Tynhaodd pob cyhyr yn Morfudd wrth i fawredd ei chelwydd wneud iddi deimlo'n sâl. Rhoddodd Mali ei llaw ar ei hysgwydd. Ni allodd Morfudd ei gadael i wneud dim mwy.

Aeth yn binnau drosti. Hwn oedd y cyffyrddiad iawn cyntaf rhyngddynt ers pan oedd Mali'n blentyn bach. Er iddi ei chodi wedi iddi syrthio a gosod plastar ar ei phen-glin ambell waith doedd dim wedi bod ers hynny.

"Dwi'n iawn. Wir," meddai Morfudd â digon o gryfder lleisiol i'w gyrru yn ôl i'w hochr ei hun.

Chwaraeodd Mali efo gweddillion y reis ar ei phlât cyn gofyn heb godi ei phen.

"So... Be am y pyncjar? Lle gest di hwnna? O'n i'n gweld bod gen ti deiar dros dro."

Efelychodd Morfudd ei llysferch a gwthio ei reis i ochr arall ei phlât. "Ym. Tu allan i'r... sbyty. Mi gesh i help gan un o'r nyrsys i'w newid hi."

"O druan ohonat ti. Ar ben bob dim."

"Ia, 'de, ond doedd o'n ddim traffarth."

"Rhaid i chdi newid y teiar dros dro 'na reit handi."

"Mi wna'i," meddai Morfudd.

Penderfynodd flynyddoedd yn ôl na allai hi fynd yn rhy agos. Allai hi ddim. Er bod pawb wedi trio eu gorau i'w cael i garu ei gilydd fel rhyw oen amddifad yn cael ei hwrjo ar ddafad, gwyddai o'r dechrau nad oedd ganddi'r cyfarpar mewnol i dderbyn yr her. Doedd hi ddim wedi cael ei charu gan ei mam. Doedd neb wedi dysgu iddi sut.

Doedd hi ddim wedi gallu caru tamaid o'i chig a gwaed ei hun. O'r eiliad y teimlodd ei bronnau'n brifo ac yn llenwi mewn parodrwydd am y dasg o'u blaenau, fe wyddai y byddai'n cael gwared o'r celloedd y tu mewn iddi. Gallai fod wedi malu ei garddyrnau pan welodd y ddwy linell fygythiol ar y teclyn pi-pi. Roedd wedi gafael ac wedi gwasgu ei bol bychan ifanc gan obeithio gallu rhoi diwedd ar y ffurfiant yn ei chroth. Dychmygai allu teimlo darnau o gorff bach yn nofio at ei gilydd. Pob tamaid yn gafael yn dynn yn ei gilydd ac yn glynu i'w waliau mewn protest ofer yn erbyn ei hanallu i'w caru. A dyma hi heno yn dweud celwydd wrth y llysferch a oedd wedi bod yn fwrn o'r crud bron.

Fe'i gorfodwyd i ddweud gymaint o gelwyddau i achub ei hun rhag ei gŵr fel nad oedd yn gwybod bellach sut i ddweud y gwir.

"Potel arall," meddai gan godi a mynd i'r stafell gefn.

*

Pan ddeffrôdd Morfudd am bump o'r gloch y bore, roedd yn ei dillad ar ben y cynfasau. Roedd ei hesgidiau yn dal am ei thraed, ei phen fel plwm a'i cheg fel caets hen fochdew. Wrth gau ei llygaid ceisiodd ddenu digwyddiadau'r noson i'w phen dolurus. Doedd dim am ddod. Cofiodd agor y drydedd botel a dweud wrth Mali bod ei dewis cerddorol yn warth ond wedi hynny roedd popeth yn ddu.

Gosododd ei dau fys canol un bob pen i'w phenglog a phwyso'n galed ar y tamaid meddal bob ochr i'w haeliau. Pwysodd mor galed nes dechrau brifo ei hun go iawn cyn eu rhyddhau. Tynnodd ei dillad oddi amdani a cherdded i'r tŷ bach yn noeth a phob cyhyr yn ei chorff yn gweiddi am gael eu hiro mewn dŵr. Wrth daflu ei hun yn flêr ar y toiled a gadael i waddol y noson lifo'n ddrewllyd ohoni edrychodd i lawr a gweld y dŵr glân yn troi'n un pwll tywyll tew a chynnes.

Ac yna ar y llawr o dan y sinc, daliodd rhywbeth ei sylw. Tameidiau plastig, gwydr ac arian. Roedd y ffôn yn deilchion.

Plygodd i'w chwrcwd ar y teils oer a cheryddu ei hun wrth godi'r darnau i'w llaw.

Gorweddodd ar y llawr a rhoi ei bochau poeth ar y teils oer

wrth ymyl y llanast a chyrlio i embryo bychan bach. Embryo arall a orweddai yn dawel mewn protest ofer yn erbyn ei gallu i'w charu ei hun.

Gwyddai y byddai'n rhaid iddi fynd i chwilio am neges Dyddgu ar y cyfrifiadur yn yr ystafell haul. Roedd rhywbeth wedi arwain at y malu.

Cododd ei phen yn rhy sydyn ac aeth yr ystafell yn gerbyd ffair o'i chwmpas. "Faster, Faster!" gwaeddai'r diafol yn ei phen wrth i'w pherfedd gael ei luchio o amgylch ei chorff. Gafaelodd yn dynn yng nghoes y sinc i'w hangori ei hun a gadael i'r chwyrligwgan adael ei thu mewn.

"Dwi'n sâl," meddai o dan ei gwynt fel petai'n blentyn yn edliw wrth fam. Crafangodd am bowlen y sinc a thynnu ei hun ar ei thraed. Ni allodd godi ei phen. Mentrodd yn ôl at y gwely yn ei chwman, un cam bach babi ar y tro. Gollyngodd ei hwyneb dros ochr y gwely er mwyn i'r gwaed lifo yn ôl i'w phen. Wedi pum munud, trodd y tuchan yn chwyrnu a gwyrodd ei thafod dew yn flêr dros erchwyn ei boch.

*

Y lleisiau a'i deffrôdd. Ymhell bell yn ei hymwybyddiaeth gallai glywed sgwrs ond nid y geiriau. Mali oedd yn gwrando ar y radio yn ei ffordd ddi-hid arferol mae'n siŵr. Oedd rhaid iddi rwbio halen i'r briw mor gynnar ar fore Sadwrn? Mor braf fyddai gallu deffro'n ifanc a di-boen. Roedd y dyddiau hynny wedi hen garlamu heibio.

Wrth i'r synhwyrau ddeffro tybiai i'r lleisiau ddechrau symud. Nid o'r gegin y deuant roedd hi'n eithaf siŵr. Teithiasant ar hyd y coridor ac i lawr am yr ystafell haul. Tri llais ifanc. Doedd hi ddim yn cofio Mali'n dweud bod ganddi ffrindiau yn dod draw. Doedd Dafydd ddim wedi gadael i Morfudd wahodd neb i'r tŷ ac o'r herwydd, doedd 'na neb yn galw draw ers blynyddoedd.

Byddai hen siarad pe na byddai'n codi rŵan ac yn mynd i ddweud helô.

Lluchiodd ei dillad ymarfer corff amdani. Hyd yn oed ynghanol *hangover* enbyd, roedd dillad rhedeg yn gallu helpu mymryn ar y celwydd mewnol. Gwthiodd ei thraed chwyddedig i'r esgidiau ymarfer a gwasgu hanner tiwb o bast yn syth i'w cheg. Chwyrlïodd ddŵr a mint drwy ei dannedd a thynnu ei gwallt yn ôl mewn bobl du.

"Sbia golwg. Byhafia!" meddai'n chwyrn wrth y drych.

Wrth agor drws yr ystafell wely daeth yn amlwg fod un llais gwrywaidd a dau lais benywaidd yno. Sleifiodd am y gegin ac agor yr oergell cyn tywallt hanner potel o sudd oren i lawr ei gwddf. Daeth y darnau asid a mintys y past dannedd benben ar waelod y beipen fwyd a chreu un daran fawr a ddihangodd o'i cheg.

Distawodd y lleisiau pan glywsant ei chyfraniad o'r gegin.

"Morfudd!" gwaeddodd Mali. "Ti 'di codi! Ty'd yma."

Wrth lusgo ei thraed i'r ystafell haul gallai weld cysgod dyn drwy'r gwydr. Gwyddai ei bod wedi ei weld o'r blaen ond ni allai ei hymennydd niwlog ailafael yn yr atgof. Syllodd yn syth ati heb ystum o fath ar ei wyneb. Crwydrodd ei lygaid o waelod ei phengliniau, drwy ei chorff at ei llygaid briwiedig. Teimlodd ei hun yn cael ei dadwisgo'n araf a syllodd yn ôl i'w wyneb haerllug i adael iddo wybod mai hi oedd y feistres er ei bregustra.

Morfudd edrychodd i ffwrdd. Wrth droi ei hwyneb at y gadair fe'i gwelodd hi. Roedd y gwallt glasddu wedi ei luchio'n ôl dros yr ysgwyddau noeth a'r minlliw coch ar y gwefusau main.

"Mori!" meddai'r llais. "Oedd gen i ofn bo fi'n hwyr."

"Hwyr?" gofynnodd Morfudd mewn penbleth

"Ia. Deuddag ddudist di, 'de."

"Ia?"

"Mae hi'n chwarter wedi deuddeg, Morfudd!" meddai Mali'n siarp.

"Clywed bo chi 'di cael noson fawr," meddai Dyddgu yn lled wenu ar Mali.

"Ym. Do."

Teimlodd Morfudd ei bod wedi ei gollwng i ganol ffilm swreal. Ni allai wneud pen na chynffon o'r hyn oedd o'i blaen. Roedd hi'n debygol bod gan y ffôn oedd yn deilchion ran yn y naratif ond ofer fyddai mynd at hwnnw i geisio rhoi'r darnau storïol yn eu lle.

"Dach chi isho panad?" gofynnodd Mali gan wylio ei llysfam yn fanwl.

"Ia, dos i neud panad," meddai Morfudd yn falch o gael ei gwared.

"Dwi 'di dod â Charlie efo fi. Ti byth yn gwbod dyddia yma!" ychwanegodd Dyddgu cyn chwerthin yn nerfus.

Roedd Charlie yn dal i syllu a sylwodd Morfudd ar ei frest yn chwyddo o gael ei ddyrchafu yn swyddog diogelwch. Crwydrai llygaid y ddau ifanc o amgylch yr ystafell. Amsugnwyd pob manylyn, o'r wal garreg dew i'r gwaith celf, y gadair ledr a'r olygfa odidog yr ochr arall i'r gwydr.

"Sut oeddach chi'n gwbod lle dwi'n byw?" mentrodd Morfudd.

"Ti'n siriys?" meddai Dyddgu. "Nest di yrru *directions* i ni tua tair gwaith neithiwr. Bob un chydig bach yn wahanol so chydig bach yn *confusing* tan i chdi gofio dy *postcode*!"

Roedd Charlie erbyn rŵan wedi agor ei goesau yn llydan ac

wedi suddo yn ôl i'r gadair freichiau fel pe bai wedi bod yma erioed. Am eiliad fe welodd Dafydd. Fel hyn yr eisteddai i'w gwylio'n dadwisgo. Fel hyn y mwynhaodd yntau ei bychanu.

"Geith hi wbod heddiw os 'di wedi cael y job?" gofynnodd yn dal i edrych arni.

Blaenoriaeth Morfudd oedd ceisio cadw rheolaeth. Gwyddai nad oedd ganddi swydd i'w chynnig. Roedd y cogiau rhydlyd yn methu troi a doedd ganddi hi ddim mymryn o olew i'w hiro. Dim ond un ateb oedd. Roedd rhaid gweld beth a ddywedwyd neithiwr ar y ffôn drwy agor ei Facebook ar y cyfrifiadur.

Sythodd a theimlodd yr esgyrn bach yn ei gwddf yn crensian. Cerddodd yn ffug awdurdodol at y bwrdd yn y gornel. "Mi edrycha'i ar y manylion rŵan."

Edrychodd y ddau ifanc ar ei gilydd wrth sylweddoli nad oedd hi'n cofio dim. Gwelodd Charlie ei gyfle.

"Os 'na *bullshit* dio, fyddi di'n *seriously* pishio fi off."

Gorfu i Morfudd atal ei hun rhag dau beth. Yr awch i hitio Charlie a'r awch i hitio ei hun. Dechreuodd daro botymau'r cyfrifiadur yn wyllt. Roedd rhaid iddi wybod beth oedd yn mynd ymlaen.

"Something seems to have gone wrong. Please try again," meddai'r geiriau ar y sgrin.

"Something seems to have gone wrong. Please try again," gwaeddodd Morfudd o du ôl y cyfrifiadur.

Syllodd Charlie ar Dyddgu yn gegrwth.

Daeth Mali i mewn o du ôl i'r drws.

"Tisho iddyn nhw adael?" gofynnodd.

"Na," atebodd Morfudd yn syth.

Gwyddai Mali na ddylai fod wedi eu gadael i mewn heb ddeffro Morfudd ond roedd ei chwilfrydedd wedi cael y gorau arni. Roedd gweld y ferch ar y sgrin ar ei stepen drws wedi ei chyffroi.

Ceisiodd feddwi Morfudd neithiwr i lacio ei thafod a siarad am y pethau dwfn a oedd yn cuddio y tu mewn iddi. Ond roedd y clo yn rhy dynn. Meddwodd yn sydyn ac yn hyll a gorfu iddi ei chario i'w gwely yn un lwmp dagreuol disynnwyr. Roedd eto i ddeall beth oedd lle'r ddau yma yn ei chawdel.

"Yli. Ma'n amlwg bo chdi ddim callach be fuon ni'n drafod neithiwr so well i ni jest anghofio bob dim," meddai Dyddgu.

"No fuckin way," meddai Charlie a'r bygythiad yn ei lais yn ddigon i wylltio Mali.

"Dwyt ti ddim yn siarad efo Morfudd fel'na, reit?" meddai ag awdurdod y cyfreithiwr ifanc.

Edrychodd Mali ar Morfudd a sylwi ar y bresgustra o'i blaen. Roedd ei chorff eiddil yn crynu a phob tamaid o'i hwyneb yn ceisio gwneud synnwyr o'r hyn oedd yn digwydd. Roedd eisiau gafael amdani a thynnu'r nadroedd o'i phen. Roedd eisiau cael gwared o'r ddau ddieithryn a'i sodro hi i lawr i gael gwybod pa lanast yr oedd hi wedi ei greu.

Roedd ei thad wedi awgrymu dros y blynyddoedd mor rhyfedd oedd ei hymddygiad. Roedd wedi egluro wrthi pam oedd rhaid bod yn flin a'i rhoi hi yn ei lle.

"Dos allan am smôc," meddai Dyddgu wrth ei chariad. Safodd yn stond heb symud modfedd. "Dos. Plis."

"Gna'n siŵr bo chdi'n cael be ma'i wedi addo i chdi," meddai cyn gadael am yr ardd.

Dilynodd Mali ef er mwyn cadw llygaid a cheisio deall mwy.

"Mae hyn yn nyts," meddai Dyddgu "Ti'n cael pyncjar tu allan i pyb fi, gweiddi arna fi yn y *bakery*, chwdu yn bogs, cael sgwrs *weird*, gofyn i fi ddod i tŷ chdi i gael *interview* job a wedyn cofio *bugger all*."

Roedd y gnocell ym mhen Morfudd yn atal unrhyw ateb.

"Ti'n meindio os dwi'n deud wbath wrtha chdi?"

"Nac ydw."

"Ti angen sortio *shit* chdi allan."

Gwenodd Morfudd wrth glywed ei geiriau plaen. Roedd hi'n iawn wrth gwrs.

"Ti'n cofio sôn wrtha'i am Jano neithiwr?"

Am eiliad, daeth y byd i stop.

*

Wrth wylio Charlie drwy ffenest y gegin fe sylweddolodd Mali mai dyma'r tro cyntaf iddi weld rhywun yn y tŷ ers marwolaeth ei thad. Hyd yn oed pan oedd ei thad yn fyw, doedd hi ddim yn cofio gweld unrhyw ffrind neu berthynas i Morfudd yno. Doedd hi ddim wedi gweld y peth yn rhyfedd ar y pryd.

Pam bod yr ymweliad cyntaf yma yn un mor ddiawledig o ryfedd? Dechreuodd boeni bod Morfudd yn sâl go iawn. Doedd hi erioed wedi ei thrafod yn iawn efo'i thad. Gwyddai ei bod yn rhan o'r system seiciatryddol ers blynyddoedd a bod hyn yn fwrn ar ei thad ond gan mai bob yn ail benwythnos y gwelai nhw roedd yn anodd creu darlun iawn o beth oedd yn mynd ymlaen.

Mentrodd allan i'r ardd i geisio cael mwy o wybodaeth gan Charlie a fyddai'n egluro rhywbeth am ymddygiad diweddar Morfudd. Daliodd ei thafod wrth ei weld yn lluchio ei stwmpyn sigarét i'r pot blodyn. Doedd ganddo ddim amynedd i siarad. Roedd wedi dod yno i sefyll dros hawliau ei gariad a gwneud yn siŵr nad oedd Morfudd yn nytar.

Pan lwyddodd i roi dwy frawddeg at ei gilydd i egluro wrthi sut y bu i Dyddgu a Morfudd gyfarfod fe nodiodd Mali ei phen yn dawel gan ofyn iddi ei hun am y canfed tro pam bod Morfudd yn mynnu dweud y celwyddau yma wrthi.

Esgusododd ei hun pan ddaeth neges destun i'w ffôn. Gwenodd wrth weld bod Jano am iddi fynd i lawr i'r tŷ. Roedd wedi cofio rhywbeth.

*

Beth ddaeth drosti i ddweud bod Jano yn gadael? Gwyddai mai helpu'r ferch ifanc oedd ei bwriad, ond roedd ffyrdd haws na dweud celwydd fel hyn. Roedd wedi palu twll enfawr unwaith eto.

"Do'n i ddim 'di disgwyl i chdi gynnig job i fi. Ddim dyna pam nesh i yrru negas i chdi yn lle cynta. O'n i jest isho gneud yn siŵr bo chi 'di cyrraedd adra'n saff ar ôl sgwrs ni."

Deallodd Morfudd beth oedd wedi digwydd. Roedd Dyddgu wedi dangos caredigrwydd. Roedd wedi meddwl amdani a hithau wedi mynd dros ben llestri a chynnig swydd nad oedd ar gael.

"OK. Dwi'n cyfadda mod i 'di meddwi neithiwr," meddai Morfudd yn wylaidd.

"So does 'na ddim job a ti'n sori am wastio amsar fi, ia?" meddai Dyddgu'n syth.

"Nid deud hynna ydw i. Dwisho i chdi ddod yma i weithio."

Gwenodd Dyddgu.

"Ond ma'n gymhleth. Elli di ddim dechra yn syth bin."

"Dwi'n gwbod. Nesh i ddeud 'tha chdi bo fi'n cwrt wsos nesa eniwe."

Heb i Morfudd orfod gofyn mwy cynigiodd Dyddgu ei stori iddi. Doedd dim blewyn ar ei thafod a heb unrhyw emosiwn daeth cefndir gymaint o'i geiriau llawn malais ar y sgrin yn fyw. Roedd hi wedi colli babi ei chyn-gariad ac roedd y cariad hwnnw'n mynd o flaen ei well am falu wyneb ei gariad ddiweddaraf.

Gwrandawodd Morfudd wrth i'r geiriau lifo ohoni yn un llith barod. Roedd Dyddgu wedi addo bod yn dyst ar ran y ferch yma yn ei erbyn o.

"Dwi angen helpu hi. Dwisho i babi bach fi fod yn prowd o'na fi er bod hi'm yma."

"Oedd o'n hitio chdi?"

"Withia oedd. Oedd o'n fwy *psychological* efo fi ond fasa hi 'di gallu bod yn fi. Nath o rili neud llanast arni a dio ddim yn mynd i gael get awê."

Roedd Morfudd eisiau gafael yn dynn amdani.

Eglurodd sut oedd hanner y dref wedi troi yn ei herbyn oherwydd ei phenderfyniad i sefyll yn gadarn yn erbyn un o gymeriadau mawr yr ardal. Roedd o wedi llwyddo i ddallu cymaint efo'i bersonoliaeth gref a'i arian budr.

"Dwi'n gwbod be 'di byw efo un o rheina," meddai Morfudd. Yn yr eiliad honno, fe benderfynodd ei bod am weithredu. Gwyddai yn ei chalon bod ei gweithredoedd meddw wedi deillio o'r lle da a oedd yn ddwfn y tu mewn iddi. Daeth popeth yn gliriach yn ei phen.

Penderfynwyd bod y dydd Mercher canlynol yn gweddu. Roedd awch gwirioneddol Dyddgu i weithio y tu allan i'w hardal yn gwneud i Morfudd sylweddoli mor bwysig oedd hyn. Rhyfeddodd fod ei hymennydd meddw wedi creu y fath gynllun. Gwyddai bellach fod hyn i fod.

"Pedair awr i ddechrau a gawn ni weld sut mae hynna'n siwtio'r ddwy ohonan ni."

"Nest di ddeud £12 yr awr. Dio ddim werth o am llai na hynna i fi, rili. Hynna a costa teithio."

Gwenodd Morfudd wrth ei chlywed yn taro'i bargen. Byddai'n rhaid parchu'r cynnig gwreiddiol er ei fod yn fwy nag a dalodd i Jano erioed.

"Ia. Iawn."

Cododd Dyddgu ei bawd ar Charlie drwy'r ffenest. Gwenodd yntau o glust i glust a chodi ei stwmp o'r pot blodyn.

"Ydi hwnna yn dy drin di'n iawn?" mentrodd Morfudd

"Dio ddim mor ddrwg â'r llall ond dio'm yn *boyfriend of the year.*"

"Bydd di'n ofalus. Ti'n haeddu cael dy drin yn iawn."

"Dwi'n gwbod."

Pan ddaeth Mali â'r paneidiau i'r ystafell haul roedd llaw Morfudd ar fraich Dyddgu. Doedd hi erioed wedi gweld Morfudd yn cyffwrdd neb o'i gwirfodd fel hyn o'r blaen.

"Mae Dyddgu a fi'n deall ein gilydd rŵan."

Gosododd Mali'r paneidiau ar y bwrdd coffi gwydr a daeth Charlie drwy'r drws.

"Gobeithio bo chdi 'di codi dy *fagbuts* i fyny," meddai.

Crymodd ei ysgwyddau i awgrymu nad oedd.

Eisteddodd wrth ochr Dyddgu a rhoi ei law yn gadarn ar ei phen-glin a'i gwasgu. Gwyliodd Morfudd yr ystum a chofio am y ffordd yr arferai Dafydd wasgu yr un lle pan nad oedd o am iddi agor ei cheg mewn cwmni.

Erbyn i Morfudd orffen ffarwelio wrth y drws roedd Mali'n eistedd ar y gadair ledr yn disgwyl amdani.

"Ddudist di mai tu allan i Sbyty Gwynedd oeddat ti 'di cael y pyncjar. Ddudodd o mai dyna sut oeddach chi 'di cyfarfod – bo chdi 'di cael pyncjar tu allan i'r pyb lle oedd hi'n gweithio. Pwy sy'n deud y gwir?"

Roedd y byd yn nofio o'i blaen.

"Fo."

Edrychodd Mali arni'n hir.

"Do'n i ddim isho i chdi feddwl mod i wedi dechrau yfed. O'n i angen drinc bach ar ôl bod yn y sbyty."

"Ia, fasa hynna ddim yn grêt a chditha ar ganol cael profion am salwch, naf'sa?"

Gadwodd Mali yr ystafell ac anelu'n syth am ei llofft.

Roedd Morfudd yn casáu bod ei chelwyddau bach yn tyfu a gwyddai'n iawn fod Mali yn ei hamau. Wedi blynyddoedd o amau ei realiti ei hun, roedd y ffin rhwng y gau a'r gwir yn gawdel amwys y tu mewn iddi.

*

Roedd nosweithiau yn nhŷ Jano a Tony yn chwedlonol. Gwirionai Mali fynd yno ers pan oedd yn blentyn. Doedd dim rheolau. Fe gâi hi a Shannon wylio'r teledu tan yr oriau mân a bwyta beth bynnag a fynnent. Yn y tŷ yma roedd Mali wedi blasu ei chwrw cyntaf. Yma y smociodd hi ei chanabis cyntaf ar ôl darganfod planhigion Tony yn tyfu yn yr atic. Er i'r ddwy daflu i fyny a chysgu am oriau yn y to, doedd dim drama pan ddaeth Jano i chwilio amdanynt. Lluchiwyd nhw i'r gawod a'u tycio yn eu gwelyau tan y bore.

Cnociodd ar y drws a daeth plant Shannon fel teigrod bach i'w chyfarch ac i ddringo ar ei hyd.

"Lawr!" gwaeddodd Shannon fel pe bai'n gweiddi ar gŵn.

Cofleidiodd y ddwy a gafael yn dynn yn ei gilydd wrth gerdded am y lolfa.

"Blydi hel, sbia arna chdi! O'dd Mam yn deud bo chdi'n edrych fatha *solicitor*. A ti yn!"

"Ti'm 'di newid iotsan," meddai Mali cyn plannu cusan ar ei boch.

Wedi'r chwerthin a'r tynnu coes a llowcio can neu ddau aeth Jano i'r cefn i nôl tamaid o bapur o'r gegin.

"Reit, 'ta," meddai ac eistedd ar ochr sedd Mali. "Dwi 'di bod yn racio 'mrên i drio cofio petha i chdi. Kerry rwbath odd 'i henw hi. Short neu Sharp o'dd 'i snâm hi, dwi'n siŵr."

"Diolch, Jano."

"Un o'i hobsesiyns gwirion arall hi *no doubt*."

Arferai ei thad ddweud wrthi bod Morfudd yn obsesiynol ond wyddai hi ddim ym mha ffordd.

"Pam ti'n poeni am y peth rŵan?" gofynnodd Jano wrth edrych ar Tony. Daliodd ei lygaid yn hir.

Er mor annwyl oedd y teulu iddi, penderfynodd Mali beidio â dweud am ymweliad Dyddgu a Charlie.

"Mae hi'n ymddwyn chydig yn rhyfadd, fel dudish i. Dwi jest isho trio cofio petha o'r gorffennol er mwyn gneud synnwyr o betha."

Rhoddodd Jano bwniad bach i Tony i'w rybuddio ei bod ar fin dechrau'r sgwrs.

"Ma 'na rwbath dan ni 'di bod isho'i drafod ers chydig, Mals, ond wedi methu achos bod gynnon ni ofn."

Aeth Shannon â'r plant i fyny'r grisiau o'r ffordd a rhoddodd Mali ei diod ar y bwrdd.

"Blydi hel. Mae hyn yn swnio'n siriys," meddai wrth weld yr awyrgylch yn newid yn llwyr.

Edrychodd Jano a Tony ar ei gilydd eto.

"Be bynnag ma Tony'n mynd i ddeud wrthat ti rŵan, jest cofia, falla bod o'n hollol rong a dan ni ddim yn trio creu trwbwl, OK?"

"Jest dudwch o. Plis."

Simsanodd Tony wrth weld wyneb dryslyd Mali yn aros am ei eiriau. Gwyddai yn yr eiliad honno na allai ddwyn ei diniweidrwydd a'i thaflu i le tywyll a fyddai'n chwalu ei byd.

Edrychodd i fyw llygaid ei wraig. Edrychodd hithau yn ôl a'i llygaid ar dân.

Safodd Tony ar ei draed a cherdded drwy'r drws ffrynt i'r nos.

"Tony. Paid â gneud hyn," gwaeddodd Jano. "'Di hyn ddim yn deg arni."

Rhedodd Tony i lawr y stryd yn gwybod bod hyn yn gwneud pethau'n waeth. Roedd wedi ymarfer y geiriau ganwaith a Jano wedi ei holi yn dwll i gael pob manylyn yn glir. Pam cael ei wthio i gornel ganddi? Roedd Jano wedi bod yn chwarae efo'i ben byth ers iddi dderbyn y testun gan Mali. Ni welai bod consérn Mali am ymddygiad ei llysfam yn ddigon i agor y drws ar y wybodaeth a gadwodd yn gudd.

Eisteddodd Mali wedi ei sodro i'r soffa. Doedd ganddi ddim clem beth oedd yn datod o'i blaen. Beth oedd mor ddrwg i beri i Tony redeg i ffwrdd?

"Dach chi'n 'nychryn i. Plis," gwaeddodd Mali.

Rhedodd Jano ar ôl ei gŵr: "Os nag w't ti'n deud wrthi, mi dduda i. Ma hi'n haeddu gwbod. Dan ni 'di dechra rŵan."

"Ti 'di dechra!" hefrodd tuag ati. Arhosodd Tony'n stond ac edrych yn ôl at ei wraig. "Alla'i ddim," meddai a diflannu drwy ddrws y Llew Gwyn.

"Dwi ddim yn gadael nes mae rhywun yn deud wrtha'i be sy'n mynd ymlaen," meddai Mali'n chwyrn pan redodd Jano yn ôl i'r parlwr. Heb yngan gair gafaelodd Jano yn ei llaw a'i hebrwng dros y ffordd i'r dafarn.

Cyn i Tony allu archebu ei beint, roedd Jano wrth ei ysgwydd. Camodd ato'n araf a sibrwd yn ei glust.

"Dau fodca a jin. Fyddwn ni'n disgwyl amdanat ti."

Roedd Jano'n iawn. Roedden nhw wedi agor y drws ac felly doedd dim modd dianc.

Daeth Tony i du cefn y dafarn yn crynu. Taniodd smôc a llowcio un o'r fodcas o'i flaen.

"Deud be sgin ti i ddeud," meddai Mali.

Er ei ymarweddiad caled a'i dueddiad i dorri rheolau, roedd gan Tony galon enfawr. Doedd o erioed wedi brifo neb yn fwriadol. Er pa mor fychan oedd ei wraig, roedd wedi cuddio y tu ôl iddi droeon. Gwyddai y byddai'r munudau nesaf yn newid popeth.

Ond roedd o'n casáu ei wraig wrth edrych arni'n ei wylio yng ngolau egwan yr ardd gwrw wag. Edrychodd arni fel pe bai ar fin ei chrogi.

"Pam fasa chdi'm 'di gadal i mi neud o yn fy amsar fy hun?" meddai a'i ddirmyg yn berwi.

"Dwi'n disgwyl," meddai Mali'n dawel.

Wedi eiliadau mud gwyddai Tony'n nad oedd dihangfa.

"Mae o'i neud efo'r noson fuodd dy dad farw."

Rhewodd wyneb Mali.

"Rhaid i chdi gofio bod Tony'n *pissed,*" ychwanegodd Jano. "Felly dio ddim yn gallu bod yn hollol siŵr o'i betha," ychwanegodd i geisio lliniaru mymryn ar yr hyn oedd Mali ar fin ei glywed.

"Cariwch mlaen," meddai Mali.

"Dod adra o'r llyn o'n i tua hanner nos. O'n i 'di cael dipyn o cans a ballu so alla i'm bod yn siŵr."

Syllodd Mali arno a gadael i'r stori setlo yn ei ben.

"OK. Ym… Dwi'n cymyd y llwybr bach 'na fel bo neb yn gweld fi drwy'r coed… ond y noson yna nesh i glwad… sŵn ar y llwybr arall sydd chydig uwch… yr un rhwng lle chi a'r cartra hen bobl."

"Reit," meddai Mali yn gwrando ar bob manylyn bach.

"Esh i i guddiad tu ôl i goedan… rhag ofn bod 'na rywun 'di bod yn sbeio arna fi. O'dd hi'n niwlog so o'n i'm yn gallu gweld yn glir… Dwisho chdi wbod hynna."

"Iawn… a?" meddai Mali'n a'i phen yn dechrau creu'r delweddau.

"Wel… Oedd 'na rywun yna… ar y llwybr top."

Syllodd y tri ar ei gilydd.

"Lle'n union?" gofynnodd Mali.

"Wrth y giât mochyn ryw bedwar cae o tŷ chi."

Edrychodd Mali ar Tony a'i gymell i fynd yn ei flaen.

"O'n i jest isho i chdi wybod ond fel dwi'n deud, o'n i wedi bod yn yfad a sa fo'n gallu bod yn rhywun oedd yn patrolio'r llyn y noson honno."

Edrychodd Jano arno'n flin.

"Ma hynna'n ddigon am rŵan," meddai Tony gan roi ei ben yn ei ddwylo.

"Os oes gynnoch chi fwy, dudwch wrtha'i rŵan neu 'na'i byth siarad efo chi eto."

"Deud, Tony," meddai Jano'n glir.

"Tony?" gofynna Mali.

Cododd Tony ar ei draed a gosod ei gefn ar y wal frics y tu ôl iddo. Tynnodd yn hir ar weddillion ei sigarét.

Gwrandawodd Mali wrth iddo egluro'i fod yn eithaf siŵr mai dynes a welodd. Roedd blynyddoedd o botshio a chasglu nwyddau wedi hogi ei sgiliau gwyliadwraeth.

Edrychodd Jano arno i'w gymell i rannu yr un manylyn pwysig. Ysgydwodd ei ben ond roedd hi'n rhy hwyr. Roedd Mali wedi sylwi.

"Be?" meddai a'i dyrnau'n cau.

Rhoddodd Tony ei law ar ysgwydd Mali. Teimlodd hithau

ei gryndod. Datganodd iddi eto mor feddw ydoedd ac na allai fod yn sicr o'i ffeithiau ac nad oedd hi'n noson glir ond bod y ddelwedd wedi ei yrru'n wallgo ers y noson honno.

Tybiodd yn gryf fod y person a welodd yn y pellter yn gwisgo côt parka dywyll oedd â ffwr ar yr hwd.

Ni symudodd Mali yr un fodfedd.

Eisteddodd Tony yn ei ôl. Arhosodd y tri yn fud heb wybod pwy fyddai'n torri'r tawelwch.

Yn dawel a chadarn edrychodd Mali o un i'r llall.

"Dwi wedi'ch trystio chi erioed. Dach chi'n gwbod hyn ers tair blynedd bron iawn. Dwi'n eich casáu chi."

"Gwranda. O'dd Tony 'di bod yn yfad, o'dd hi'n niwlog a'r peth dwetha dan ni isho i ti feddwl ydi bod dy dad ddim 'di syrthio."

"Pam rŵan?"

"Pan nest di ffonio i holi am Morfudd, roth o'r leisans i ni godi'r peth. Mae hi'n od, Mali. Dan ni gyd yn gwbod hynna."

Ni chwiliodd Mali am eiriau. Doedd dim geiriau. Cododd ei phen yn uchel a cherdded o'r ardd.

Gwasgodd Jano law ei gŵr. "Gad hi fynd."

Rhoddodd Tony ei ben ar ei glin. "Dwi mor prowd ohona chdi," meddai ei wraig.

Nid fel hyn oedd Tony am ddatgelu'r hyn oedd wedi bod yn ei wneud yn sâl. Roedd ei wraig wedi gweithredu ar ei thelerau ei hun fel arfer. Nid gardd tafarn oedd y lle i ddatgan gwybodaeth o'r fath.

"Dos adra," meddai wrthi. "Dwisho mynd yn *hammered* ar ben fy hun."

Ac fe aeth yn feddw gaib. Cafodd ei gario adref gan Richard Ffrwd Fach ac wrth iddo ddisgyn i'r gwely at ochr ei wraig fe afaelodd amdani'n dynn.

"Diolch," meddai a'i chadw hi'n effro efo'i chwyrnu trwm tan yr oriau mân.

*

Deffrôdd Morfudd yn crio ar y bore Iau. Doedd hi ddim yn cofio ei hunlle na beth oedd wedi gyrru'r dagrau ond roedd yn dal i bwyso'n drwm ar ei hysgyfaint. Ceisiodd ddwyn ei breuddwydion i gof droeon ond mynnent hedfan i ffwrdd cyn iddi allu eu dal. Roedd darnau ohonynt yn golchi drosti yn ystod y dydd ac yn mynnu gwneud difrod i'w meddwl brau.

Roedd hi'n grediniol bellach bod ei thu mewn wedi dod yn rhy gyfarwydd â'r tabledi diweddaraf hefyd. Roedd arwyddion bach yno. Wedi misoedd o fethu cael orgasm roedd ei chorff wedi gallu cyrraedd y lle hwnnw yn ddidrafferth y noson cynt. Golygai hynny fod y nerfau y tu mewn iddi wedi torri'n rhydd gan ddiosg hualau'r capsiwl pinc a oedd wedi eu gwasgu i gydymffurfio ers cyhyd.

Roedd y gwawdio a'r bychanu yn mynnu codi eu pennau haerllug ers rhai wythnosau bellach. Er iddi geisio eu llyncu efo'r dabled binc, gwthient nes eu gosod eu hunain yn dalog yn sêt flaen ei hymennydd.

Wrth estyn am y bocs hancesi i sychu ei llygaid, cofiodd mai heddiw oedd diwrnod y gwrandawiad llys. Roedd Dyddgu'n fodlon herio'i chymdogion a pheryglu ei chyfeillgarwch efo trigolion y dref er mwyn cefnogi merch arall. Roedd yn fodlon dinoethi'r gwir a thalu'r pris. Doedd hi ddim wedi gallu bod mor ddewr.

Gwisgodd yn smart. Roedd am fynd i gefnogi Dyddgu.

Pan gyrhaeddodd y cwrt fe'i synnwyd gan faint y criw

oedd wedi ymgynnull y tu allan. Parciodd y car mewn safle lle gallai weld popeth yn glir ond oedd yn ddigon pell fel nad oedd yn amlwg.

Roedd ystod oedran eang iawn o bobl yn y dorf. Roedd merched efo coetsys yn sefyll efo dynion canol oed a hogiau ifanc yn gymysg efo'u neiniau a'u teidiau. Wrth i gar mawr glas ddod rownd y gornel, cynhyrfodd y dorf. Daeth dau heddwas o rywle a chamu at ochr y palmant. Cynyddodd y gweiddi ac agorodd Morfudd ei ffenest i allu clywed eu geiriau.

"Lesbians!" "Porn girls!" "Ca'lwch o, genod!" "Cam girls!" "Pimp!" "Bastad."

Nid dyma'r geiriau roedd Morfudd wedi'u disgwyl. Roedd unigolion o fewn y criw yn daer iawn a'u geiriau penodol yn awgrymu byd a oedd yn bell o'i dirnadaeth hi.

Roedd mwy nag un farn o fewn y criw. Roedd y rhai agosaf at y car yn gefnogol i'r genod a'r rhai pellaf yn eu peltio â'u gwawd. Hyrddiodd rhai eu gwenwyn at y car a sylweddolodd Morfudd bod cymuned wedi ei rhannu'n ddwy yno ar y palmant.

Wrth edrych ar yr wynebau amrywiol gwelodd yr hogyn a'i helpodd i newid ei holwyn ynghanol y dorf. I'r garfan llawn gwenwyn y perthynai. Roedd ei wyneb yn goch a'i wythiennau yn dew ac yn amlwg ag arlliw o lwmp bach lle'r oedd Dyddgu wedi ei benio.

Tristaodd Morfudd wrth feddwl am Dyddgu'n gorfod cerdded drwy'r dorf. Fe'i hatgoffwyd o'r lluniau ar y newyddion flynyddoedd yn ôl pan welodd ferched bach yn Iwerddon yn gorfod cerdded drwy wal o elynion oedd yn gweiddi ac yn poeri wrth iddyn nhw geisio cerdded i'r ysgol. Doedd hi ddim yn cofio beth oedd yr anghydfod bryd hynny. Doedd hi'n deall dim heddiw chwaith.

Gafaelodd Dyddgu a'r ferch arall yn dynn yn ei gilydd wrth ddod allan o'r car. Edrychai'r ferch arall i lawr ar y tarmac yr holl ffordd i fyny am ddrws y cwrt ond roedd pen Dyddgu yn uchel. Wrth arnofio drwy'r dorf fe edrychodd i fyw llygaid rhai. Nid edrych yn fygythiol nac yn filain ond yn gadarn dawel. Gwasgodd law'r ferch arall ac arwain y ffordd.

"Pob lwc, genod!" gwaeddodd Karen y caffi nerth ei phen. "Mala fo, D.D.!"

Wedi i'r ddau blismon eu harwain yn llwyddiannus am y drws, diflannodd y ddwy i'r düwch ar ochr arall y gwydr. Safai dau heddwas arall y tu allan i atal y dorf fechan rhag ceisio mynd i mewn i'r adeilad. Ni aeth yr un heibio iddynt. Roeddent yn derbyn mai allan ar y palmant oedd eu lle.

Daeth yr awyrgylch yn llai bygythiol a rhai cymdogion yn mentro croesi llinell y gelyn i siarad efo aelod o'i deulu neu i ofyn am sigarét. Roedd chwilfrydedd Morfudd yn tyfu.

Wrth gamu o'r car gwelodd fod hogyn y teiar wedi sylwi arni.

"Oi!" gwaeddodd tuag ati. "Ti dal ddim 'di newid y teiar 'na?"

"Dwi am neud pnawn 'ma," gwaeddodd 'nôl o ochr arall y palmant.

Penderfynodd gamu'n nes a gofyn beth oedd yn mynd ymlaen.

"Llanast. 'Na chdi be."

"O?"

"Mêt i fi'n cael ei fframio gan genod o'dd yn ddigon hapus bod yn rhan o'i *cock films* o pan o'dd o'n siwtio nhw."

Methodd Morfudd guddio'r anghrediniaeth yn ei llais wrth ymateb a daeth y wich arferol drwy'i gweflau.

"Mae porn yn digwydd yn Gymru, sdi. Sbia o dy gwmpas.

'Sa chdi'n cael sioc ar dy din faint o rhein sydd wedi gneud ceiniog neu ddwy allan o'r peth."

"So pam dach chi gyd tu allan yn fanma, 'ta?"

Dechreuodd rannu'r manylion am y cwmni porn roedd Gavin yn ei redeg a'i fuddsoddiad mawr yn yr offer gorau i gyd. Rhoddodd gyfleon da i lawer yn yr ardal a'u gwneud yn rhan o'i fusnes ond roedd y ddwy a oedd yn tystio heddiw wedi mynd y tu ôl i'w gefn a'i bardduo er mwyn mynd ar eu liwt eu hunain a'i lusgo fo drwy'r baw wrth wneud.

Doedd Morfudd erioed wedi disgwyl hyn.

"Gwgla 'Porn Hut' neu 'Fantasy Rides' ar ôl chdi gyrradd adra… Gei di sioc faint fyddi di'n nabod."

"Ond be am y GBH? Fasa'r genod ddim yn deud celwydd am hynna," meddai yn teimlo'n warchodol yn syth.

"Be ti'n wbod?" gofynnodd a'i grib yn codi.

"Dyna 'di'r achos yma heddiw, ia ddim?" meddai'n datgelu ei mymryn gwybodaeth.

"Mae 'na lot ti'm yn wbod am y stori 'ma. Dos i newid y teiar 'na," meddai cyn troi ei gefn ati.

Cyn iddi sylweddoli, ymlwybrodd Morfudd i flaen y dorf a sefyll yn edrych ar ei hadlewyrchiad yng ngwydr tal drws ffrynt y cwrt. Gallai weld y cyrff y tu ôl iddi ond roedd hi'n fyddar i'r geiriau bellach.

Pa fyd oedd Dyddgu wedi ei gadw rhagddi? Pam y teimlodd ei bod wedi ei bradychu? Doedd ganddi ddim hawl i deimlo fel hyn. Ond dyna a eisteddai yng nghrombil ei chorff. Y teimlad cyfarwydd hwnnw.

Gwyddai mai'r haenen dop oedd yn cael ei harddangos ar y platfformau cymdeithasol. Dyna'r rheswm ei bod mor gaeth i wylio yn y nos. Roedd hi'n llenwi'r tyllau, yn darganfod y gwir. Ond roedd Dyddgu'n cuddio haenen dywyll iawn.

Daeth y ddwy ferch yn ôl at y drws yn annisgwyl. "Adjourned," gwaeddodd rhywun y tu ôl iddynt. Doedd dim gwadu'r siomiant amlwg ar eu hwynebau. Bu'r ddwy'n paratoi am y foment yma ers wythnosau.

Sythodd Dyddgu unwaith eto a thynnu ei gwallt yn ôl cyn iddi gamu i'r ffau. Cododd ei phen ac edrych yn ei blaen.

Lluchiodd Morfudd ei hun ar ei chwrcwd a gafael yng nghynffon côt y ddynes. Arhosodd yno nes clywed y car yn gwibio i ffwrdd. Gwaeddodd hogyn y teiar "Hŵrs!" ar eu holau a theimlo'n uffar o foi wrth gael gwneud.

Cododd Morfudd a cherdded at ei glust. "Oeddat ti'n haeddu cael hedbyt," meddai cyn rhedeg nerth ei phen am ei char heb droi'n ôl.

Roedd ei throed ar y sbardun cyn iddi ddeall ei bod yn y car a gyrrodd fel ffŵl allan o'r dref. Arafodd y car a pharcio'n y gilfan gyntaf ar y chwith. Roedd rhaid iddi gael cadarnhad bod yr hogyn yn dweud y gwir. Sgrialodd am ei ffôn cyn cofio'i fod yn ddarnau mân. Hitiodd y llyw yn galed yn flin efo'i hun.

Roedd Dafydd wedi mynnu mai fo oedd yn rheoli popeth, o'r bancio i'r ceir i'r cyfrifon ffôn nes y collodd y gallu i fod yn ymarferol. Roedd hi'n raddol yn eu meistroli bob un. Er hynny, roedd hi'n eistedd mewn car heb un teiar yn syllu ar glwstwr o gosbau parcio a heb ffôn yr oedd wedi ei falu'n rhacs pan oedd yn chwil.

Byddai'r daith am adref yn un hir.

*

"Dwi'n meddwl dylsan ni drio rwbath gwahanol yn rhywiol," roedd Dafydd wedi'i ddatgan dros ei bapur newydd un bore.

Hi oedd yr un greadigol rhwng y cynfasau ar y dechrau.

Roedd hyn wedi ei ddychryn. Roedd o'n grediniol ei bod hi wedi cael carwyr gwell nag o yn y gorffennol. Doedd hynny ddim yn wir. Roedd hi'n mwynhau mynegi ei hun yn rhywiol a darganfod pleserau ei chorff efo'r dyn roedd yn ei garu. Roedd gweld sut roedd ei chyffyrddiadau a'i symudiadau yn ei gynddeiriogi ar y dechrau wedi gwneud iddi deimlo ei bod yn ddigon iddo. Buan y deallodd nad oedd yn ddiogel iddi wthio unrhyw ffiniau. "Pwy ddysgodd hynna i chdi?" byddai'n ofyn. Byddai'r munudau'n disgwyl am y ffrae anochel wedi iddo ddod o'r tŷ bach yn rhuthr mewnol i geisio darganfod y geiriau i leddfu ei amheuon a'i ganmol fel carwr.

Ers blynyddoedd doedd hi ddim wedi gallu cyrraedd y lle paradwysaidd y gwyddai oedd yn bodoli yn ei chorff yn y dyddiau cynnar. Roedd yn rhaid iddi ffugio ac amseru popeth er mwyn iddo deimlo mai fo oedd y dewin bob tro. Byddai'n gorwedd ar ei phen a'i freichiau un bob ochr iddi yn canolbwyntio ar ei rythm ei hun ac yn adeiladu ei gamau pwrpasol er mwyn gallu bwrw ei had yn ddwfn y tu mewn iddi a'i chlywed hi'n griddfan i gyfeiliant ei ollyngdod o.

Pan ddechreuodd sylwi ar ei gorff yn newid a'r bloneg yn prysur ddiflannu, er nad oedd yn tywyllu campfa, roedd wedi dechrau poeni amdano. Roedd wedi ofni bod rhywbeth mawr o'i le.

Roedd yr eglurhad yn eistedd mewn bocs bach pren ar y silff uchaf yn yr ystafell wely. Wrth chwilio am glust-dlws coll un bore, roedd Morfudd wedi agor y bocs ac wedi darganfod cwdyn bach plastig hanner llawn o bowdr gwyn. Roedd wedi gorfod ymchwilio ar y we i weld beth y gallasai fod. Dyna sut y darganfyddodd bod ei gŵr yn defnyddio cocên.

Gwyddai na allai ei gwestiynu. Roedd hi wedi colli'r gallu hwnnw ers blynyddoedd.

Yn sgil y powdr gwyn, roedd ei berfformiad yn y gwely yn ei dychryn. Roedd y ffordd y gafaelai ynddi yn frwnt. Byddai'n dod adref yn yr oriau mân a'i lygaid yn wyllt ac yn effro a byddai'n mynnu ei bod hi yr un mor awchus ag o. Diolchodd hithau'n aml bod natur yn gyfrwys yn ei ffordd fach ei hun wrth iddi ddwyn y gallu i yrru ei waed i'r lle iawn oherwydd y powdr gwyn.

Dyna pan y dechreuodd sôn am ffilmiau pornograffig. Roedd o'n grediniol y byddai hynny'n ysgogi'r ysfa angenrheidiol ynddo i allu mwynhau ei hun unwaith eto. Gwyddai Morfudd na allai wrthod. Byddai gwneud hynny'n golygu y byddai'n gorfod treulio dyddiau yn cael ei hanwybyddu a'i bychanu.

Roedd gorfod ei wylio'n cael ei gyffroi gan gyrff dieithr wedi chwalu pob hyder a oedd ganddi ynddi ei hun fel bod rhywiol. Wedi iddo brynu teledu a chwaraewr DVD i'r ystafell wely roedd hi'n gwybod ei bod yn anweledig iddo.

*

Er y teimlad o fod wedi ei bradychu, doedd Morfudd ddim yn gwybod sut i ymateb o glywed am fywyd cudd Dyddgu. Deallai mor apelgar oedd byd yr arian sydyn i ferched ifanc ond roedd meddwl am ddynion fel Dafydd yn ei gwylio ac yn cael eu cyffroi yn troi ei stumog.

Wedi diffodd y car fe redodd i'r tŷ a chythru at y cyfrifiadur. Roedd rhaid iddi dreiddio'n ddyfnach i'w byd hi. Roedd yn fyd a fu'n ddarn bach dinistriol arall yn ei phriodas hi.

Teipiodd y ddau air ar yr allweddellau. 'Porn Hut'. Daeth y delweddau i lenwi'r sgrin ar amrantiad. Roedd am gamu i'r byd yr oedd wedi gwadu ei fodolaeth ers i Dafydd fynd.

Roedd gwefan ar ben gwefan yn ceisio ei hudo. Roedd clipiau byrion o weithredoedd a oedd yn ei ffieiddio yn llenwi'r sgrin. Sut oedd dod o hyd i Dyddgu ynghanol y cnawd anifeilaidd? Roedd 'na gategorïau di-ri. Merched ifanc. Merched gwyn. Merched bronnog. Merched du. Merched hŷn. Merched Asiaidd. Merched tew a merched tenau.

Wedi oriau o drio a ffieiddio, fe'i gwelodd. Yng nghategori y merched bronnog gwyn roedd merch o'r enw D.D.

Roedd Dyddgu wedi defnyddio ei henw barddonol a'i dylino'n bob siâp a'i ailffurfio'n enw cnawdol. Doedd dim rhyfedd mai ei nain oedd yr unig un a oedd wedi ei galw'n Dyddgu. A oedd hi wedi dod i wybod am y byd yma ac wedi gwrthod galw ei hwyres wrth ei henw porn?

Roedd deuddeg eiliad ar gael am ddim i oglais y gwyliwr i dalu am fwy. Doedd dim gwadu pwy oedd yr ochr arall i'r cudynnau glasddu a oedd wedi eu gosod yn bwrpasol dros yr erchwyn pinc. Roedd ei llygaid yn edrych i fyw llygaid y gwyliwr, ei thafod yn gwlychu ei gwefusau a'i bys addurnedig yn cymell yr edmygwyr yn nes.

Gallai Morfudd deimlo cledrau ei llaw yn cynhesu a'i bronnau'n caledu. Nid oedd am deimlo yr hyn roedd ei chorff yn ei gorfodi i deimlo. Roedd wedi gobeithio am yr eithaf arall. Yn sydyn, caeodd y caead yn glep a cherdded i ben pellaf yr ystafell haul.

Byddai gwylio Dyddgu yn perfformio ar gyfer chwantau dieithriaid yn ei chynhyrfu mewn modd nad oedd hi am gael ei chynhyrfu. Gwyddai na allai ddygymod efo'r nosweithiau unig yn ei gwely o fod wedi pwyso y botwm hwnnw. Byddai wedi ei gwthio i fan nad oedd am ei droedio.

Ond roedd Dyddgu'n bodoli yn y byd a oedd yn ddychryn iddi. Roedd wedi ei rhewi y tu ôl i sgrin ar wefan a oedd yn hygyrch i'r byd. Roedd rhywun yn rhywle ar yr eiliad hon yn diwallu ei anghenion wrth ei gwylio ac roedd hynny yn codi cryd arni.

Dim ond un peth a fyddai'n lleddfu ei meddwl heno.

Wrth i'r lleuad godi yn yr awyr, llenwodd Morfudd ei fflasg efo gwin ac aeth ar ei chrwydr tawel heibio'r cymdogion. Roedd yr hen lonydd a chysgodion y lleuad drwy'r coed yn ei harwain at ei hoff lefydd. Wrth wylio eu defodau daeth ton o ryddhad drosti. Llyncodd y gwin ac fe beidiodd yr awch am y cyfrifiadur yng nghysur y ffenestri cyfarwydd.

*

Roedd meddwl am gael gwared o Jano yn chwarae ar feddwl Morfudd o'r eiliad cyntaf yr agorodd ei llygaid. Gwyddai na fyddai yr oriau nesaf yn hawdd. Roedd wedi chwarae'r olygfa yn ei phen droeon. Roedd meddwl am sefyll yn y gegin o flaen y fwled fach filain yn peri i gyhyrau ei chorff dynhau.

Gwisgodd fel dynes hyderus. Roedd hi wedi ceisio defnyddio triciau bach fel hyn dros y blynyddoedd er mwyn twyllo ei hymennydd. Pur anaml roeddynt wedi gweithio.

Edrychodd arni ei hun yn y drych yn y cyntedd. Roedd y trowsus tyn a'r bŵts oedd wedi dyddio yn gweddu. Gwisgodd flows liwgar a rhuban rownd ei chanol. Roedd hi'n edrych fel dynes ar ei ffordd i'w chyfweliad cyntaf ers cael fflyd o blant.

Caeodd ruban y flows yn dynnach o gwmpas ei chanol pan glywodd y sŵn traed ar y grafel y tu allan. Safodd ynghanol y parlwr yn edrych ar yr alarch: "Gobeithio mai dyma'r tro ola i chdi gael dy droi y ffordd arall, pwt," meddai wrtho. Crwydrodd ei llygaid at y ffiguryn plastig wrth ei ochr.

'Kindness is Everything.'

Dylsai wedi canolbwyntio ar ei geiriau yn hytrach na'i gwisg. Roedd Jano yn chwim ei thafod a byddai dangos gwendid yn rhoi rhwydd hynt iddi ei llorio.

"Mond fi!" gwaeddodd cyn cerdded am y twll dan grisiau i daflu ei chôt ar y llawr a gwisgo ei brat cyn codi ei bwced o bethau glanhau.

Ers rhai wythnosau bellach, roedd y lanhawraig wedi gwisgo'i chlustffonau i wrando ar ei cherddoriaeth tra oedd yn y tŷ. Gwyddai Morfudd mai er mwyn peidio gorfod siarad efo hi oedd hyn. O dro i dro byddai'n canu hanner llinell o gân yn uchel i wylltio ei chyflogwr ac roedd yn gweithio i'r dim.

Er y rhyddhad o fod wedi siarad efo Mali roedd y ffaith nad oedd yn ateb ei ffôn ers rhedeg i ffwrdd yn ofid mawr i Jano. Penderfynodd nad oedd am ei ffonio a gadael iddi ddod atynt ar ei thelerau ei hun. Roedd mynd i fyny i'r tŷ yn anodd o wybod beth a ddywedwyd y noson cynt. Mynnodd Tony ei bod yn cario ymlaen fel arfer tan eu bod yn gwybod ble oedd Mali. Roedd gweld Morfudd yn edrych mor wirion yn gwneud pethau'n waeth.

"Blydi hel! Lle uffar ti'n mynd 'di gwisgo fel'na? Sgin ti *interview* neu wbath?"

Dechreuodd Morfudd wegian yn syth a sleifiodd ei hyder drwy'r dillad tyn.

"Isho gair ydw i," meddai â'i llais prifathrawes.

"Ellith o ddisgwyl tan wedyn? Dwi'm yma i siarad. 'Di budreddi ddim yn disgwyl i neb, sdi!"

Fe ddylai ei haerllugrwydd fod yn ddigon i gythruddo Morfudd ond roedd rhywbeth yn llygaid Jano oedd yn ysgwyd Morfudd i'w seiliau bob tro. Gwyddai ei bod hi'n amau rhywbeth.

"Ga'i air yn y gegin ar y diwadd?" meddai.

"Dim problem," atebodd Jano. "Ydi Mali dal adra?"

"Nachdi," meddai Morfudd. "Mi a'th ar frys. Cynllunia 'di newid."

Sleifiodd Jano i'r parlwr a phenderfynu mai dyma'r tro olaf iddi chwarae gemau gwirion. Roedd hi wedi bod yn gaeth i'r triciau a'r creulondeb bach tawel ers i Morfudd wrthod ei thalu yn ystod ei gwaeledd. Tybiodd fod chwarae efo'i phen yn gwneud iawn am y poen meddwl a greodd ar eu haelwyd. Nid gêm a chwaraeodd efo Mali. Byddai'n rhaid iddi aros amdani a gadael iddi gysylltu pan fyddai'n barod. Gobeithiai ei bod yn iawn.

Cerddodd Morfudd i'r ystafell haul a gwrando ar Alys a Candelas i'w hymwroli ar gyfer y diswyddo.

Llwytho'r gwn cyn ei saethu,
A phaid â'i adael ar ochr y gwely,
Llwytho'r gwn cyn ei saethu,
A cofia anadlu'n ddwfn cyn anelu.

Chwarddodd wrth wrando ar eironi'r geiriau. Ymatebodd ei chorff nerfus i rythm rhywiol y gân. Mudferwai o'i mewn wrth i'r pryder ddechrau pylu. Caeodd ei llygaid a gadael i Alys gymryd yr awenau.

O'r drws daeth tagiad. Yno y safai'r bwtan fach a phob modfedd o'i phum troedfedd yn gwgu drwy'r tyllau yn ei cheg.

Roedd Mali'n iawn i boeni. Roedd yr antics yn dechrau eto.

Sadiodd Morfudd.

"Ti allan o Brillo pads," meddai yn gafael mewn bocs gwag. "Dim *territory* fi 'di prynu rheina."

Chwyddodd y gerddoriaeth yn uwch ym mhen Morfudd.

"Cofia anadlu'n ddwfn cyn anelu," sibrydodd Alys eto.

Ufuddhaodd i'w geiriau. Roedd hi'n gwybod sut i gael gwared ohoni wedi'r cyfan.

Cododd ei dwylo'n bwrpasol i ffurfio siâp gwn efo'i bysedd canol. Caeodd ei llygad dde fel a welodd mewn ffilmiau ac anelu at y bocs gwag yn llaw Jano.

"Llwytha'r gwn," meddai'n uchel. Camodd at Jano a chodi ei dwylo'n bwrpasol a phwyso ei thalcen. Anelodd.

"Tania'r gwn," meddai gan sefyll yn gadarn gyferbyn â'i gelyn.

Roedd y ddwy wedi rhewi. Plygodd Morfudd ei bodiau i'r hanner a thanio'r fwled ddychmygol drwy ganol penglog y ddiddannedd un.

Caeodd ei llygaid i osgoi gweld y gyflafan o'i blaen.

"Ffwcin hel, ti'm yn gall!" gwaeddodd Jano. "Tyfa fyny'r hogan wirion!"

Gorfododd ddirmyg Jano iddi ostwng ei dwylo yn un swp.

"Sori," meddai'n syth wrth sylweddoli beth yr oedd wedi ei wneud.

Roedd wyneb Jano fel mellten, yn union fel wyneb ei mam cyn iddi ei tharo am ei hymddygiad od.

"A i lawr i dre rŵan i nôl Brillos," sibrydodd Morfudd a throi ar ei sawdl.

Iselhaodd y gorchudd haul a gwylio ei hun yn nrych y car.

Roedd y tyllau'n ffurfio o dan ei thraed a hithau'n suddo unwaith eto. Roedd Dafydd yn iawn. Er iddi frwydro yn erbyn ei eiriau ers cyhyd roedd rhaid derbyn nad oedd y gallu ynddi i ymddwyn fel y gweddill. Tybiodd a oedd ganddi'r cyfarpar i newid fyth.

*

Roedd Mali wedi sleifio i'r tŷ heb i Morfudd ei chlywed ar ôl rhedeg o'r dafarn. Roedd rhaid iddi gasglu ei heiddo. Wrth gripian i hen stafell ei thad i nôl y cyfrifiadur fe sylwodd ar ei focsys ffeiliau ar y silffoedd uwchben. Doedd hi ddim yn gwybod pam ei bod wedi mynd â rhai efo hi ond am ryw reswm roedd yn gwneud synnwyr ar y pryd. Rhywsut roedd wedi gwneud iddi deimlo'n agos at ei thad.

Ffoniodd ei mam i ddweud y byddai'n gyrru ati i'r Bala wedi iddi sobri. Ffoniodd y swyddfa a gadael neges i ddweud ei bod yn sâl ac erfyniodd ar ei mam i wneud yr un peth.

Dychrynodd Rhian pan welodd ei merch yn cerdded drwy'r drws am hanner awr wedi chwech y bore. Gafaelodd amdani a gadael i'w chorff ifanc wegian yn ei breichiau. Gwyddai fod rhywbeth mawr o'i le.

Rhannodd Mali'r wybodaeth gan wylio ei mam yn amsugno'r cyfan yn ei ffordd bwyllog arferol. Doedd hi ddim wedi colli ei phen pan ddarganfyddodd gorff ei chyn-ŵr ar waelod y grisiau y bore hwnnw. Roedd wedi dod â Mali at ei thad ar y bore angheuol hwnnw gan gobeithio cael gair efo Dafydd am geisio prynu car bach iddi.

Wrth gerdded o amgylch y tŷ tra roedd Mali ar y ffôn yn y car fe welodd ei ben mewn pwll o waed ar lawr y cyntedd. Siarsiodd Mali i aros yn ei hunfan. Gwyddai'n syth ei fod yn oer ers oriau. Ffoniodd Morfudd i'r cartref ble bu'n aros dros nos efo'i mam.

Roedd yr hyn a glywsai yn llifo'n un stribedyn o enau ei merch yn awgrymu bod Morfudd wedi bod yno'r noson honno. Os oedd hynny'n wir, bu'n ddigon clyfar i wneud yn siŵr mai hi oedd yr un a ddarganfyddai'r corff.

Ofnai Rhian bod rhaid iddi hithau fod yn hollol agored efo'i merch. Roedd wedi cadw pethau oddi wrthi er mwyn ei gwarchod dros y blynyddoedd ond tybiodd nad oedd modd cadw'n dawel bellach.

"Y peth cynta i neud ydi ffonio Jano a Tony i ni gael cyfarfod iawn. Mae hyn wedi bod yn anodd ofnadwy iddyn nhw, cofia. Fasa'r person ar y llwybr yn gallu bod yn rhywun."

"Paid â 'nhrin i fel plentyn. Ma'n rhaid i ni fod yn onest. Rhaid i ni ofyn pam nad ydi hyn yn ymddangos yn amhosib."

Gwyddai Rhian bod ei merch yn dweud y gwir.

Wedi blynyddoedd o geisio beichiogi a'r straen o fynd drwy driniaethau ffrwythloni, roedd Dafydd wedi torri Rhian yn deilchion wrth gychwyn perthynas efo'r fenyw ifanc o'r swyddfa. Roedd ei greddf wedi dweud wrthi ers misoedd bod 'na ddrwg yn y caws. Er y gwyddai fod y cyfrifoldeb o fod yn dad yn ei ddychryn, doedd hi erioed wedi disgwyl iddo wneud beth a wnaeth.

Roedd hi wedi beio ei hun ar y dechrau. Roedd ganddi fywyd mor llawn rhwng y feddygfa a'r pwyllgorau a'r côr. Prin oedd ei hamser i gynnal ei phriodas hefyd. Roedd Dafydd am iddi roi'r gorau i bopeth er mwyn bod yn y tŷ ond gwrthod yn daer a wnaeth hi. Dechreuodd sylwi fod ei feddwl yn crwydro.

Synnwyd pawb yn y gymuned pan glywsant bod y cwpl perffaith yn gwahanu a'i fod o wedi ei gadael hi a hithau'n feichiog. Er iddi dorri ei chalon, hi oedd yr unig un a oedd wedi deall y weithred.

"Dwi 'di cael enw gan Jano. Enw'r ddynes oedd wedi creu helynt, ti'n cofio?" gofynnodd Mali wrth agor ei chyfrifiadur.

Doedd Rhian ddim yn cofio. Doedd Dafydd ddim wedi rhannu'r stori er bod Mali wedi dweud wrthi am Morfudd yn rhedeg allan o'r tŷ. Roedd Dafydd wedi trafod ei wraig newydd efo Rhian droeon. Gofyn iddi am ei chyngor meddygol a wnaeth i ddechrau cyn i'r sgyrsiau ddwysáu. Fe gâi Rhian foddhad tawel o glywed am eu problemau dwfn. Gwyddai na ddylai fod wedi dial fel a wnaeth a doedd hi ddim yn falch o'i gweithredoedd ond doedd dim modd newid pethau.

Gobeithiai na fyddai'n rhaid i Mali ddod i wybod ond tybiodd Rhian mai breuddwyd ffŵl oedd hynny bellach. Gwarchod ei merch oedd ei blaenoriaeth rŵan.

Wedi dechrau chwilio am Kerry Sharp ar y we ond heb fawr o lwc, teipiodd Mali yr ail enw posib. O'r eiliad y pwysodd y 't' olaf yn 'Short', fe lanwodd ei sgrin.

"Mam. Tyrd yma. Rŵan."

*

Roedd y weithred o ffug saethu Jano wedi siglo Morfudd i'w chraidd.

Roedd rhywbeth yn dechrau tyfu'n araf y tu mewn iddi a'i difa'n gelfydd eto. Roedd yr holl orwedd yn ennyn atgofion nad oedd am eu hwynebu. Doedd hi ddim am fynd yn ôl i'r fan honno, roedd yn sicr o hynny.

Dim ond un dabled oedd ar ôl yn y bocs. Byddai'n rhaid iddi dreulio'r penwythnos hebddyn nhw. Roedd y syrjeri wedi rhoi ffrae iddi ganwaith am adael yr archebu tan y munud olaf ond fel arfer byddai'n rhedeg allan pan nad oedd ganddi'r gallu i gamu dros drothwy'r drws. Byddai'n ddydd Mercher cyn iddi fedru cael mwy. Golygai hynny bum diwrnod di-dabled. Gwyddai fod hynny'n llawer rhy hir ond roedd ganddi ormod o gywilydd i ffonio yn gofyn am addasu'r rheolau ar ei chyfer eto.

Roedd yn barod felly i wynebu dyddiau penysgafn a chwil

cyn i'r teimladau tywyll a'r paranoia gnoi go iawn. Yr hyn a gynigiai lygedyn o obaith iddi oedd meddwl bod Dyddgu yn cychwyn ddydd Mercher. Nid âi yn agos at y cyfrifiadur. Byddai gweld Dyddgu yn gwerthu ei chorff yn ei gwthio dros ddibyn yr oedd eisoes yn agos iawn ato.

Roedd y noson feddw a dyfodiad Dyddgu a Charlie wedi creu rhwyg ehangach rhyngddi hi a Mali. Roedd wedi gadael y tŷ mor gynnar heb ffarwelio na gadael nodyn ar fwrdd y gegin.

Roedd llygoden fach y tu mewn iddi yn dechrau cnoi ei chalon. Roedd yn gloddesta ar ei hymylon ac yn taflu darnau enfawr o'i chanol i lawr ei chorn gwddf. Fe'i teimlai'n arafu dan bwysau'r darnau cyn llenwi a syrthio i gysgu yn lwmp trwm ynghanol ei bod.

Ar ddiwrnodau fel'na roedd Morfudd yn erfyn am y gallu i'w hysgaru ei hun. Byddai gallu camu allan o'i phen a chychwyn o'r newydd mewn pen glân yn newid popeth. Ond priodas orfodol oedd hon.

Y tro cyntaf iddi deimlo'r trymder hwn oedd wedi i deulu Jess gael gorchymyn gwahardd yn ei herbyn. Roedd misoedd o wybod bod Jess yn cael ei charcharu yn erbyn ei hewyllys wedi ei gyrru at ddibyn llawer uwch na hwn.

Ceisiodd ganolbwyntio ar Dyddgu. Ond daeth delweddau ffiaidd i lenwi ei phen. Gwelodd Dyddgu'n cael ei byseddu a'i thylino gan ddwylo cyfarwydd ei gŵr. Caeodd ei llygaid yn dynn ac erfyn am ddimbydrwydd.

Arferai ysgrifennu yr un gair drosodd a throsodd ar hyd tudalennau ei meddwl pan âi prysurdeb ei phen yn ormod iddi. Byddai canolbwyntio ar un gair yn arwain ei hymennydd i un lle.

Doedd dim un gair am ei hachub heddiw. Gwyliai'r llinellau

yn toddi i'w gilydd ar gefndir gwyn. Wrth droi'r tudalennau, roedd geiriau'r gorffennol yn picio eu pennau drwy'r gwynder. Pob un yn chwifio baner ei glwyf a'i gyfnod ei hun.

Digon.

Gwag.

Hyder.

Ffyddlon.

Cariad.

Roedd Cariad yn air mor hardd.

Trodd dudalen arall a gweld yr inc du sy'n un staen hyll ar ei chof. Hiraethodd am y gair na wnâi unrhyw synnwyr bellach.

Roedd gweld plant eraill yn cael eu caru wedi ei gwthio yn ddyfn i'r cysgodion o'r dechrau. Cofiodd pan ddaeth â'r gacen adref o'r ysgol i ddangos i'w mam a Geoff. Roedd ei balchder yn byrstio ohoni.

"Lle gest di'r *ingredients* ar gyfer honna?" gofynnodd ei mam wrth iddi osod ei chacen ar fwrdd y gegin.

"Nath Mrs Hughes brynu nhw i fi," atebodd yn onest.

"Be? Mae Mrs Hughes yn meddwl bo chdi'n *charity case* 'wan, yndi?" cyn ei sodro ar y gadair uchel. "Paid byth â cymryd petha fel'na gan athrawon eto. Ti'n cl'wad fi?"

"Ond o'n isho cacan fatha pawb arall."

"Gei di gacan fatha pawb arall pan ti 'di dysgu gofyn yn neis i dy fam brynu'r *ingredients*," gwaeddodd.

"Ond mi wnesh i ofyn yn neis."

"Sbia. Eto! Ti'n mynnu atab yn ôl. Dos i fyny i newid o'r wisg ysgol 'na a newid dy *attitude* tra ti fyny 'na!"

Erbyn iddi ddod i lawr roedd y gacen yn y bin a phowleniad o Shredded Wheat ar y bwrdd. Roedd ei mam a Geoff yn yr ystafell ffrynt. Sleifiodd at y bin gan godi'r caead mor dawel ag oedd modd. Ond roedd ei mam un cam ar y blaen. Roedd y gacen wedi ei heisio efo Fairy Liquid a baw ci.

Pan na ddaeth ei mam i'w gwylio'n ennill rasys fel y mamau eraill, roedd hi'n dal yn fodlon ei charu. Byddai'r esgusodion yn mynd yn fwy a mwy cywrain a'i dychymyg yn cael ei ymestyn hyd eithaf ei allu ifanc. Byddai'n creu teulu a perthnasau ffug er mwyn achub cam ei mam. Rhain oedd y perthnasau a oedd yn glanio yn y tŷ ar 'fyr rybudd' ac yn gofyn i'w mam eu gyrru i feysydd awyr a'u cludo o amgylch y wlad ar ddiwrnodau mabolgampau a chyngherddau.

Pan benderfynodd yr awdurdodau ei gwahanu hi a Jess roedd yn ormod iddi a hithau wedi ei charu a'i gwarchod mor ffyddlon ers cyhyd. Dyna pryd daeth y seicolegwyr a'r doctoriaid i fusnesu yn ei hymennydd. Rheibiasant y rhannau hynny yn ei phen nad oedd am eu rhannu efo neb.

Yn ei chalon fe wyddai mai hi oedd yn iawn. Pam na fydden nhw'n gofyn i'w mam sut oedd modd iddi garu dyn afiach yn fwy na hi? Pam nad oedden nhw wedi gallu gweld bod Jess mewn perygl ac mai ei hachub oedd ei bwriad. Roedd hi'n ffrind da ac yn ferch ufudd felly pam mai hi gafodd ei gyrru i ffwrdd?

Uned Seiciatryddol oedd yr enw ar y drws pan gerddodd i mewn i'r lle a ddaeth yn gyfarwydd iddi am fisoedd. Eglurodd wrth y ddynes glên fod popeth yn y byd yn ei brifo'n fawr. Gofynnodd iddi a oedd pawb yn brifo yr un fath. Doedd hi ddim wedi deall ei hatebion.

Pan gafodd fynd yn ôl i'r ysgol, roedd y merched eraill wedi anghofio amdani. Gofynnodd i'r doctor a oedd yn syniad da prynu anrheg i bob un ohonyn nhw i ddangos nad oedd hi'n eu beio. Gofynnodd yntau iddi hithau geisio egluro wrtho pam nad oedd gweithredu fel hyn yn iawn. Roedd ateb cwestiynau fel hyn yn anodd.

Dyna pam bod ateb cwestiynau Dafydd wedi bod yn amhosib. Fel y doctoriaid, roedd yn mynnu gofyn pethau nad oedd modd eu hateb. "Faint wyt ti'n fy ngharu fi?" gofynnodd wedi iddi gyrraedd adref yn hwyr o dŷ ei mam yng Nghaernarfon un prynhawn. "Lot," meddai yn gobeithio bod yr ateb yn gywir. Doedd o ddim. Treuliodd yr oriau nesaf yn ei ddarbwyllo nad oedd ganddi gariad ifanc yng Nghaernarfon ac mai mynd yno i weld ei mam yn unig oedd hi.

Defnyddiodd Dafydd ei swyn arferol gan werthu'r syniad i'w mam bod stafell mewn cartref preswyl yn Nolgellau yn well na'i chartref yng Nghaernarfon. Daeth ei thripiau bach i ben.

Roedd wedi mynnu ei chael o'r dechrau. Wedi chwe mis o deithio ar y bws i'w swyddfa newydd yn Nolgellau roedd Dafydd wedi awgrymu y gallai symud i mewn i'w fflat gwag ynghanol y dref. Roedd hi wedi synnu bod ganddo fflat ac yntau yn byw mor agos. "Mae gan bob dyn gwerth ei halen fflat yn rhywle, Morfudd," atebodd.

Roedd symud o'i hardal ac osgoi ysbrydion ei gorffennol yn golygu y gallai ffurfio perthnasau newydd. Er iddi dreulio blynyddoedd anhapus yn y Cyngor Sir, doedd hi'n dal ddim wedi gallu fforddio prynu tŷ ei hun. Roedd y codiad yn ei chyflog yn Nolgellau wedi rhoi gobaith newydd iddi allu torri'n rhydd.

Heblaw am ambell ffwc efo cydweithwyr y Cyngor wedi partïon Dolig meddw, doedd neb erioed wedi dangos gwir ddiddordeb ynddi. Roedd wedi mwynhau y rhyw bob tro ac wedi deffro yng nghartrefi'r bechgyn. Ond wedi sobri, doedd neb wedi gofyn iddi ddod yn ôl am fwy. Roedd rhyw digwilydd di-emosiwn yn ei siwtio. Roedd hi'n deall ffiniau y rhai hynny.

Nid dyna oedd Dafydd. Roedd y cyffyrddiadau trydanol a'r sylwadau canmoliaethus yn rym nad oedd wedi ei brofi o'r blaen. Hi oedd wedi arfer crafangu am bob briwsionyn. Roedd 'na rywun yn sylwi arni o'r newydd. Nid edmygu o bell fel roedd hi wedi ei wneud yn dawel yn y tywyllwch. Roedd hwn yn sylwi mawr a chyhyrog.

Er bod bechgyn wedi cael ei denu ati o'r dechrau yn sgil ei natur athletaidd a'i gwallt melyn a'i swildod, roedd gan hogiau'r ysgol ofn dangos i'r genod cryf eu bod yn ei hoffi. Wedi'r gyflafan efo Jess fe'i hesgymunwyd. Byddai ambell fachgen yn gofyn iddi'n dawel ar y coridorau os oedd hi'n iawn. Roedd un bachgen o'r enw Sam yn dod ati bob dydd yn y ciw cinio. Doedd o ddim yn dweud llawer ond roedd yn gwneud yn siŵr nad oedd yn sefyll ar ei phen ei hun.

Roedd Dafydd wedi ei hudo gan ei thawelwch a'i chorff ifanc. Roedd wedi ei dewis gan feddwl y byddai ei rheoli hi yn haws.

Roedd Morfudd wedi ymgolli'n llwyr. Gwyddai ei bod yn ei garu o fewn y misoedd cyntaf ond prin y gallai gyfaddef iddi'i hun. Roedd y ffaith ei fod yn ei dridegau canol ac yn briod yn golygu mai ei garu o bell a wnâi. Dyna'r math o garu roedd hi'n dda am ei wneud. Roedd bod yn agos ato yn y gwaith bob dydd yn ddigon iddi. Gwyddai ei bod yn gyrru ei ben yn wyllt.

Dechreuodd Dafydd bicio i mewn i'r fflat ar ei ffordd i'r archfarchnad neu'r siop win gyda'r nos. Roedd hi wastad yno. Doedd hi'n nabod neb yn y dref a doedd y ffordd y siaradai Dafydd am rai o ferched yr ardal ddim yn ei hannog i geisio gwneud ffrindiau. Tra roedd ei wraig yn ei phwyllgorau, fe wrandawai Morfudd ar ei bryderon. Gwirionodd yntau ar ei hymennydd bach rhyfedd. Roedd y ffordd yr edrychai ar y byd mor wahanol i bawb.

Ni theimlodd Morfudd yn euog unwaith.

Dechreuodd ddod yn ymwybodol o bobl yn siarad. Wedi'r cyfan, roedd cael ysgrifenyddes ifanc yn byw yn fflat y bòs yn fêl ar fysedd rhai yn barod. Pan ddechreuodd y car a'r beic a'r ymweliadau penwythnosol gael eu cofnodi ym meddyliau rhai, roedd y felin siarad yn fwy na hapus i agor ei drws.

Yn hytrach na disgyn yn ddarnau o dan bwysau'r sibrwd a'r pwyntio bys, cododd Morfudd ei phen yn uchel ac ymhyfrydu mewn perthynas nad oedd, yn ei thyb hi, yn brifo neb.

Ond roedd credu ei naratif ei hun yn un o wendidau mawr Morfudd.

Eistedd y tu ôl i'w desg oedd hi pan ddaeth Rhian i mewn y prynhawn hwnnw. Roedd Dafydd yn swyddfa Caernarfon ar ddydd Gwener, felly nid chwilio am ei gŵr oedd hi. Edrychodd o'i chwmpas i wneud yn siŵr fod y tri a oedd yn yr ystafell waelod yn gallu ei gweld fel pe bai ar fin rhoi darlith. Safodd â'i chefn at y grisiau er mwyn bod o flaen Morfudd a'i llygaid wedi eu hoelio arni.

"Dwisho i chi glywed gen i. Neith o ddim rhannu wrth gwrs, fel ma dynion... ond o'n i isho i chi fod yn rhai o'r rhai cynta i wybod bod yr IVF wedi gweithio tro 'ma. Mae Daf a fi wedi gwirioni!"

Rhoddodd Nia wich o'r gornel a dechrau clapio ei dwylo fel morlo mewn sw cyn neidio at y wraig a'i chofleidio'n dynn.

Roedd Aled o'r ddesg drws nesaf yn fwy pwyllog. Edrychai ar wyneb ei gydweithiwr yn gwybod bod mwy na chyffyrddiadau bach wedi bod yn llifo drwyddi hi a'r bòs. "Newyddion gwych," ychwanegodd gan gynnig ei law.

Cododd Morfudd a sefyll yr ochr arall i'w desg. "Llongyfarchiadau," meddai. "Dwi'n siŵr bod y ddau ohonoch chi'n hapus iawn."

Roedd y wraig wedi edrych arni am sbel ac roedd Morfudd yn gallu teimlo gwres ei gorfoledd yn llosgi drwy ei chroen.

"Mae hi wedi bod yn daith hir ond roedd hi'n werth bob tamaid i gyrraedd fanma."

Camodd Morfudd heibio iddi ac at waelod y grisiau i 'nôl ei chôt. "Mwynhewch y penwythnos a llongyfarchiadau eto," ychwanegodd gan roi ei phen i lawr a brasgamu at brysurdeb y stryd.

Doedd hi ddim wedi meddwl gwneud beth wnaeth hi y noson honno. Nid ei wneud i'w feio a wnaeth ond i greu gollyngdod i'r boen a oedd yn ei chalon. Tybiodd ei bod yn deall yr hyn oedd yn mynd ymlaen rhyngddi hi a Dafydd. Credodd y gallai fodloni ar y briwsion. Roedd y boen y tu mewn iddi mor aruthrol fel bod rhaid iddi greu twll i balu'r brifo dwfn allan ohoni.

Pan ddeffrôdd roedd Dafydd yn eistedd wrth ochr ei gwely yn yr ysbyty a'r cadachau gwyn yn dynn o gwmpas ei garddyrnau.

Roedd ymddygiad Morfudd yn y swyddfa a rhuthr ei gŵr at wely ysbyty wedi cadarnhau i Rhian beth yr ofnai yn ei chalon ers misoedd. Doedd ei wadu a'i grio pan erfyniodd arno i fod yn onest ddim wedi taro deuddeg. Roedd greddf gwraig wedi bod yn rhy gryf.

Penderfynodd ymweld â Morfudd yn yr ysbyty a gofyn iddi ei hun. Cyfaddefodd hithau'r cyfan. Nid dynes i dderbyn gŵr a thad anffyddlon oedd Rhian. Taflodd Dafydd allan cyn penderfynu symud o'r ardal i gychwyn bywyd newydd iddi hi a'r plentyn yr oedd wedi awchu amdano ers cyhyd. Bu'n benderfyniad poenus ond angenrheidiol.

Gwyddai pan glywodd ei fod yn priodi'r fenyw ifanc na fyddai pethau'n fêl i gyd.

*

Roedd esgyrn Morfudd wedi eu sodro i'r fatres chwyslyd erbyn bore Mercher. Pydrodd hen feddyliau yn ei phen ac roedd ymdeimlad o amser a lle wedi hen lithro heibio iddi. Tybiodd fod Dyddgu'n dechrau gweithio heddiw ond ni allodd hynny symud yr esgyrn o'u twll.

Fe'i trawyd mor sydyn gan y don yma. Byddai'n rhaid iddi gael ei thabledi i roi mymryn o obaith i allu arnofio. Tybiodd fod aroglau pydredig yn yr aer unwaith eto ond efallai mai ei chorff hi oedd yn araf droi'n swp drewllyd o'i chwmpas.

Pan ddaeth y gnoc ar y drws, gorweddodd yn ei hunfan. Nid gwneud penderfyniad wnaeth hi ond ildio i ddiymadferthedd ei chorff. Roedd y llais dinistriol yn dod yn gliriach wrth yr eiliad a phan ddaeth yr ail gnoc roedd hi'n credu'n sicr bod Dyddgu yn gwybod popeth a'i bod wedi dod i'w chludo yn ôl i'r ysbyty.

"Mori? Moooriii!" gwaeddodd y llais o gefn y tŷ.

Caeodd ei llygaid a gobeithio ei bod am ddiflannu.

"Blydi hel, lle w't ti?"

Symudodd sŵn traed yr ymwelydd o amgylch y tŷ a phob cam ar y grafel yn seinio'n uwch yn ei phen.

"Mori! Dwi'n gwbod bo chdi mewn yna... Agor y drws."

Camodd Dyddgu yn ôl oddi wrth y tŷ ac edrych i fyny am yr ystafelloedd gwely. Roedd un ffenest â'i chyrtans ar gau. "Shit!" meddai gan sylweddoli y gallai fod rhywbeth o'i le.

Wrth edrych o'i chwmpas yn ceisio meddwl am sut i fynd i mewn i'r tŷ gwelodd sied fechan a'i drws yn gilagored.

Cynigiai'r sied ddau beth iddi. Ysgol i'w rhoi yn erbyn y wal a dringo neu forthwyl i dorri ffenest. Nid fel hyn roedd Dyddgu wedi dychmygu y byddai'n treulio ei bore cyntaf ond roedd yn grediniol bod Morfudd y tu ôl i'r cyrtans caeedig.

Wedi cofio am ei fertigo, defnyddiodd y morthwyl i dorri ffenest fach yn y stafell molchi waelod.

Cadarnhaodd y sŵn i Morfudd fod rhywun ar ei ffordd i'w chludo oddi yno. Efallai bod hwnnw neu honno yn gwybod y cyfan. Edrychodd at y tŷ bach ond gwrthododd ei choesau ei chario i guddio yno. Gorweddodd yn llonydd a disgwyl am beth oedd i ddod. Daeth y sŵn traed fel carnau ceffylau i fyny'r grisiau. Arhosodd wrth y drws a sbecian i mewn.

"Mori," meddai'r llais mewn braw o weld y ddynes ddiymadferth o dan y cynfasau.

"Mori?" meddai eto wrth geisio deall y darlun o'i blaen. "Be sy'n bod?"

"Mori," meddai Morfudd fel carreg ateb a'i llais cryg yn hitio'r aer am y tro cyntaf ers dyddiau. Roedd clywed ei henw newydd yn gadael y caets o'i mewn yn lleddfu mymryn ar yr ofn yn ei phen.

"O mai god, be sy 'di digwydd i chdi? Pam ti fel'ma?" holodd Dyddgu a'r dychryn yn amlwg yn ei llais. "Ti angen doctor? 'Na'i ffonio doctor."

"Plis na. Plis. Gaddo," meddai wrth i'w llais gryfhau. "Wnei di'm rhoi fi'n 'nôl yn y sbyty, na 'nei?"

Edrychodd Dyddgu arni mewn penbleth.

"Sori," sibrydodd Morfudd yn dawel wrth geisio gweithio'r cawdel yn ei phen "Sori. Dwi'm yn dda."

"Ti mewn poen?"

Meddyliodd Morfudd cyn sylweddoli na allai ateb cwestiwn o'r fath.

Mentrodd Dyddgu yn agosach ati: "Gwranda. Dwi ddim yma i fynd â chdi i'r sbyty. Dwi yma i helpu chdi, reit."

"Reit," meddai gan hongian ar ei gair. "Sori."

"Dwi'm isho unrhyw sori. Be dwisho ydi bo ni'n sortio be bynnag sy'n mynd ymlaen yn fanma a cael chdi allan o'r gwely 'ma. Ti'n meddwl fedri di neud hynna i fi?"

"Dwi'm yn gwbod," meddai.

"Mi a'i lawr i neud panad a rwbath i fyta i chdi. Tria di godi a golchi dy wynab a gwisgo wbath glân. *No worries* os ti methu ond fydda i'n ôl mewn deg munud."

"Gaddo?"

"Gaddo."

Wrth ei chlywed yn mynd i lawr y grisiau ceisiodd Morfudd restru ei chyfarwyddiadau yn ei phen. Codi. Golchi wyneb. Gwisgo rhywbeth glân. Codi. Golchi wyneb. Gwisgo rhywbeth glân.

Roedd rhywbeth yn rhythm y geiriau yn ei chymell i geisio gwneud yr ymdrech er y dimbydrwydd y tu mewn.

Mentrodd fawd ei throed ar y llawr. Dilynodd ei chorff yn araf a'i chludo at y sinc yn y tŷ bach. Prin yr adnabu'r hon a syllai yn ôl. Lluchiodd ddŵr cynnes ar yr wyneb diarth cyn cofio'r drydedd dasg. "Gwisga," meddai gan orchymyn ei hun yn y drych.

Erbyn i Dyddgu gyrraedd yn ôl roedd Morfudd yn eistedd ar erchwyn y gwely a'i chorff yn gryndod drosto.

"Mori, mae'n rhaid i chdi roid rwbath cnesach na honna," meddai yn edrych ar y ffrog haf denau. "Lle mae dy jympyrs di?"

"Fanna," ateba Morfudd gan bwyntio at y droriau o dan y ffenest.

"Cod dy freichiau," meddai'n dyner a thynnu'r siwmper drwchus dros ei phen.

"Sori," meddai Morfudd eto.

Gwenodd Dyddgu. "Honna oedd yr un ola, iawn? Beth bynnag sy'n bod, mi ddoi di drwy hyn."

*

Mali oedd yn darllen wrth i Rhian wrando a dilyn y geiriau ar y sgrin. Cododd ei phen bob hyn a hyn i edrych ar wyneb ei merch. Rhoddodd Mali ei llaw dros ei cheg a syllu ar ei mam wedi darllen y frawddeg olaf.

Roedd yr erthyglau papur newydd i gyd yn adrodd hanes y wraig a laddwyd gan ei gŵr wedi blynyddoedd o gael ei cham-drin. Roedd ei phlant yn beio'r system am fethu ei gwarchod. Er bod Kerry Short wedi cwyno am ei gŵr wrth yr heddlu droeon ac wedi sefydlu elusen a fforwm i ferched ar ôl bod yn ddigon dewr i'w adael, doedd neb wedi gwrando. Fe'i lladdwyd yn ei chartref newydd tra oedd yn cysgu.

Roedd y Kerry Short Foundation bellach yn symbol o'r gwaith caled a wnaethpwyd yn sgil ei marwolaeth. Brwydrodd dros yr hawl i allu erlid dynion am reoli eu partneriaid mewn modd cymhellol. Roedd Mali yn syfrdan.

"Mam?"

Sylweddolodd Rhian fod gwybodaeth yr oriau diwethaf yn ormod o lawer i Mali fel merch ac fel llysferch. Doedd hi ddim yn llwyr sylweddoli goblygiadau'r erthyglau ar y sgrin na'r hyn a rannodd Jano ond gwyddai fod gwaith mawr o'u blaenau.

"'Di hyn ddim yn gwneud unrhyw synnwyr," meddai Mali.

"Mi ddeliwn ni efo hyn," atebodd Rhian gan afael yn dynn yn ei llaw.

"Hogan dy dad" oedd Mali wedi bod erioed. Chlywodd hi

erioed neb yn dweud gair croes amdano. Roedd ei chariad tuag ato wedi ei diffinio. Er bod Rhian yn fwy ymwybodol o ffaeleddau Dafydd, gwyddai Rhian nad taith hawdd oedd o'u blaenau.

Roedd Mali wedi caru tad diffygiol iawn.

Gobeithiodd y fam nad oedd y ddamcaniaeth a ffurfiai yn ei phen yn mynd i chwalu ei merch ifanc ddisglair.

*

Wedi i Morfudd lwyddo i yfed ei phaned a thamaid o'r tost, cafodd ei harwain gan Dyddgu i'r ystafell haul. Gosododd hi ar ei chadair ac estyn carthen o'r parlwr i'w roi dros ei choesau. Prin yr ynganwyd gair ond yn y tawelwch roedd y cysur i Morfudd. Gosododd Dyddgu wydr o ddŵr wrth ei hochr a chodi ei thraed y pwffe lledr brown. Gadawodd hi yno am rai munudau.

"'Sa chdi'n licio chydig o miwsig, Mori? Ma wastad yn helpu fi, sdi," meddai yn y man.

"Na, dwi'n iawn diolch." Doedd hi ddim yn barod i wrando eto.

Gosododd Morfudd ei phen ar gefn y gadair a theimlo ei hun yn suddo'n araf i'r deunydd meddal. Caeodd ei llygaid a gadael i'w phen deimlo'n drwm yng ngwynder yr ystafell. Wrth i'w hanadl ddyfnhau roedd Dyddgu a oedd yn ei gwylio drwy'r drws yn gallu anadlu'n haws hefyd. Dechreuodd ar y gwaith gan wybod ei bod yn ddiogel ar ei phen ei hun.

Wrth lanhau'r ystafelloedd anghyfarwydd roedd Dyddgu'n sgwrio'r achos llys o'i meddwl. Gwyddai ei bod yn gwneud y peth iawn er yr holl brotestio yn ei herbyn.

Gwyddai hefyd fod Morfudd ei hangen. Ni wyddai beth

oedd wedi ei denu ati ond roedd pob cyfarfyddiad byr wedi bod yn brofiad. Roedd wedi ei ffieiddio, ei synnu a'i syfrdanu ganddi. Roedd wedi derbyn negeseuon chwil a chael cynnig gwaith ganddi. Roedd ei hangen hi yn angen a welodd o'r blaen.

Wrth bicio ei phen i'w gwylio bob deg munud gallai Dyddgu weld mai dynes fregus iawn a gysgai dan y garthen wlân. Gwyddai na allai ei gwella na thynnu'r boen oddi arni ond gallai gynnig cysur. Doedd hi ddim wedi gallu achub ei mam na'i Morfudd hi.

Daeth aroglau drwg i hitio'i ffroenau. Caeodd ei llygaid er mwyn miniogi'r synhwyrau eraill. Roedd yn anodd rhoi geiriau i'r aroglau. Gwyddai ei fod yn aroglau drwg ond nid bwyd hen na sbwriel oedd o.

Arweiniodd ei synhwyrau hi at yr ystafell fyw. Yn sicr roedd yn gryfach yn fanno, meddyliodd. Agorodd ei llygaid a gweld bod ei chorff yn pwyntio at y ffenestr fawr. Chwiliodd y tu ôl i'r cyrtans ac o gwmpas sil y ffenest ond doedd dim i'w weld yn unlle. Wrth gerdded i ffwrdd fe bylodd yr aroglau. Gadawodd i'w thrwyn ei harwain yn ôl.

Edrychodd i fyny am y pren dal cyrtans a gweld bod rhywbeth am y bwlyn ddim yn taro deuddeg. Nid oedd wedi cau am y pren yn llwyr. Gafaelodd mewn cadair o'r gegin a'i gosod o dan y rholyn cyrtans. Wedi i'w phen gyrraedd y bwlyn fe wyddai mai yno oedd yr aroglau gryfaf.

Trodd y bwlyn a'i ryddhau o'r pren. Daeth ton bydredig i lenwi ei ffroenau. Roedd rhywbeth yng ngwacter y rholyn pren. Craffodd i'r düwch a gweld rhywbeth yn disgleirio mewn tamaid bach o olau.

Gwthiodd ei bys i mewn a thynnu'r tameidiau di-siâp o'u cuddfan. Wrth iddynt hitio'r aer daeth cyfog i'w gwddf.

Gosododd y darnau ar damaid o bapur wrth ochr y sinc gan wybod bod rhywun wedi eu gosod yno i greu poendod.

Pwy fyddai'n plannu perfedd anifail bach yng ngwacter polyn cyrtan?

Teipiodd gwestiwn i'w ffôn. Roedd yr ymateb yn syfrdanol.

The sweet smell of revenge.

Shrimp and guts and curtain rods. Stories from around the world.

Roedd rhywun yn dial yn gyfrwys ar Mori.

Beth tybed a wnaeth i haeddu gweithred o'r fath?

"Dyddgu. Dyddgu!"

Rhedodd i'r ystafell haul.

"O'n i'n meddwl bo chdi wedi 'ngadael i," meddai.

"Ddudish i faswn i'n aros. Faswn i ddim yn mynd a gadal chdi."

"Dwi angen i chdi neud rwbath i fi plis. Dwi angen archebu tabledi o'r lle doctor. Elli di fynd lawr yna?"

"Wrth gwrs."

"Dwi ddim 'di gallu cymryd rhai dros y dyddia dwetha ac mae hynny'n ddrwg i mi. Dwi mor *shit*."

"Dwyt ti ddim yn *shit*," meddai Dyddgu'n gadarn.

Gwenodd Morfudd am y tro cyntaf ers dyddiau. Mynnodd fod Dyddgu'n benthyg ei char i fynd i'r dref ac fe dderbyniodd hithau'n llawen gan ymfalchïo bod ei chyflogwr newydd yn ymddiried ynddi.

"Faswn i'n gallu dreifio ffwrdd a 'sa chdi byth yn gweld dy gar byth eto," meddai'n gellweirus.

"Ond 'nei di ddim," meddai Morfudd.

Tynnodd Dyddgu'r garthen yn uwch dros ei chluniau a rhoi ei llaw ar ei hysgwydd yn dyner cyn cychwyn am y feddygfa.

*

Wrth yrru i lawr i'r dref gallai weld ambell un yn adnabod y car ac yn methu deall pwy oedd y tu ôl i'r llyw. Edrychodd yn y drych ochr a gweld dwy ddynes yn siarad y tu allan i'r siop a'u pennau gwalltog llyfn yn ei dilyn wrth iddi droi rownd y gornel. Roedd Dyddgu wrth ei bodd. Doedd hi ddim wedi bod y tu ôl i lyw car ers pasio ei phrawf gyrru. Roedd wedi cynilo am y gwersi ond roedd prynu car yn freuddwyd a oedd yn raddol ddod yn realiti.

Er bod yr achos llys wedi ei ohirio am fisoedd, edrychodd ymlaen am gael cau pen y mwdwl ar bennod anodd arall. Byddai'r ychydig oriau yn gweithio i Morfudd yn ogystal â'r cwrs y gobeithiai gael ei derbyn arno yn gymorth iddi allu cychwyn ei busnes newydd. Golygai y gallai brynu gwell cyfrifiadur ar gyfer y ffilmio o'i hystafell wely. Unwaith y byddai ganddi'r offer gorau, byddai'r swyddi eraill yn dod i ben.

Roedd gweithio yn y diwydiant rhyw yn rhywbeth roedd Dyddgu wedi breuddwydio amdano ers blynyddoedd. Roedd meddwl am ddynion yn talu am ei chwmni ac yn addoli ei rhywioldeb heb orfod gadael y tŷ yn berffaith. Hi fyddai'n penderfynu ar bwy, pryd ac am faint o arian. Gwyddai fod pobl yn ei hardal yn feirniadol ohoni a bod ceisio egluro mor bwerus y teimlai wrth i ddynion dalu am ei hamser a'i thalent yn ofer.

Roedd perfformio i gannoedd o ddieithriaid yn teimlo'n ddiogel a cyffrous. Teimlai bleser cudd wrth iddi gerdded heibio i ddynion ar y stryd a cheisio dyfalu a oedden nhw'n rhai o'i dilynwyr. Fe'i synnwyd droeon gan ofynion ambell un. Dysgodd gymaint am ddyheadau.

Parciodd yn y maes parcio y tu ôl i'r capel a chroesi'r lôn am y feddygfa. Roedd yr ystafell aros yn llawn i'w hymylon.

Gofynnodd am gymorth gan y person agosaf ati. Dynes fach a safai yng nghefn y ciw.

"Esgusodwch fi, ydach chi'n gwybod be 'di'r drefn efo archebu rwbath i rywun arall?"

"Dos i'r ciw ochr chwith. Neith Mel roid chdi ar ben ffordd."

Cyn i Dyddgu allu diolch iddi torrodd yr uchelseinydd ar draws y sgwrs.

"Jano Goodwin. Ystafell 2."

Gwenodd y ddynes fach ac i ffwrdd â hi.

Jano.

Wedi egluro'r cefndir, a chael y prescripsiwn heb orfod archebu, camodd Dyddgu allan i'r stryd. Roedd enw Jano yn dal ar ei meddwl. Fe wnaeth rhywbeth ei chymell i aros yn ei hunfan heb groesi'r lôn. Efallai y gallai Jano lenwi ambell dwll yn y stori. Roedd yn ymwybodol nad oedd pethau'n dda rhyngddynt a bod mwy i'r stori ymddiswyddo nag a rannodd Morfudd. Byddai'n rhaid bod yn ofalus. Roedd ceisio deall mwy yn hanfodol.

"Gest di dy *brescription*?" gofynnodd Jano wrth gamu allan o'r feddygfa a'i gweld ar y gornel.

"Do, diolch. I Morfudd Powell maen nhw."

Chwyddodd llygaid Jano a thybiodd Dyddgu fod y blew bach i gyd wedi codi yn un côr ar ei breichiau.

"Rargian fawr. Be ti'n neud yn pigo *prescription* i *honno*?"

Roedd yr 'honno' wedi gosod y seiliau yn syth.

"Dwi 'di dechra gweithio iddi hi?"

"Yn neud be?"

Eglurodd Dyddgu am ei phenodiad fel glanhawraig a'i bod yn gwneud ambell beth ychwanegol tra'i bod yn sâl. Ychwanegodd y gwyddai mai mond newydd adael oedd Jano a gobeithiodd na fyddai unrhyw ddrwgdeimlad.

Sythodd Jano hyd eithaf ei thaldra, "Dwi'm 'di blydi gadael. Lle gest di'r syniad yna?"

"Gan Morfudd."

"Ti 'di cael hyn yn rong. O'n i yna dydd Gwenar dwetha a fydda'i yna dydd Gwenar yma hefyd *for my sins*."

"Wel dwi 'di cychwyn yna heddiw," meddai Dyddgu.

Gafaelodd Jano ym mraich Dyddgu a'i llusgo rownd y gornel allan o'r stryd er mwyn cael codi ei llais.

"Yli. Dwyt ti ddim yn gwbod efo be ti'n ddelio, 'mechan i. Ma Morfudd off ei phen. Wedi bod erioed."

Roedd clywed Jano yn siarad mor ddilornus am Morfudd yn cyffwrdd y lle hwnnw yn Dyddgu a gynnai'r fatsien fewnol.

"Elli di ddim galw hi'n hynna. Mae'r ddynas yn sâl."

"*Too blydi right*! Ti'm yn gwbod ei hannar hi."

"Na ella ddim. Ond sdi be? Dwi'n gwbod bod hi angen help ar hyn o bryd."

"Pwy wyt ti? Mother Theresa?"

"Naci," meddai Dyddgu yn sefyll ei thir.

"Yli, dwi'm yn gwbod pwy wyt ti, na be mae hi 'di ddeud wrthat ti, ond alla'i ddeud bo chdi ddim isho cael dy hun yn *involved*."

Pwyntiodd Jano ei bys i'w hwyneb: "Dwi 'di bod yn gweithio iddi ers cyn i'w gŵr hi farw. Dwi'n rhan o'r teulu. Ella bo ni ddim yn licio'n gilydd ond dan ni di tolyretio'n gilydd ac alla'i ddeud wrtha chdi bod hi'm 'di deud *fuck all* am *cleaner* newydd."

"Mae'n rhaid bo fi wedi cael petha'n rong," meddai Dyddgu.

Daeth llith o geg Jano wrth iddi fynd i hwyliau am ei diogi a'i phroblem yfed a'r ffordd y creodd sgandal drwy ddwyn gŵr y meddyg lleol a'i hanallu i garu Mali ac iddi fethu â thalu iddi hi pan oedd pethau'n ddrwg yn ariannol.

"Ond mi geith hi ei chosbi. Gei di weld," ychwanegodd yn filain.

Wrth i Jano ymhelaethu ar wendidau Morfudd, gadawodd Dyddgu iddi gerdded i mewn i drap oedd yn ffurfio yn ei phen. Yn araf bach, yr unig ddelwedd oedd yn llenwi ei hymennydd oedd y perfeddion bychain ar y papur newydd ar fwrdd y gegin.

Stopiodd Jano am eiliad i fachu gwynt a thanio smôc. Roedd Dyddgu yn barod i'w tharo efo'r hyn oedd yn magu ers rhai munudau. Byddai'n rhaid ei gwylio'n ofalus. Tynnodd Jano yn hir ar ei sigarét.

Gosodwyd yr abwyd.

"Blydi hel, mae hynna i gyd yn swnio'n uffernol. Mae hi *yn* swnio fel nytar. Ti 'di cael dy drin yn uffernol," meddai.

"Do," cytunodd Jano gan adael y mwg trwchus o'i thrwyn.

"Ti 'di sylwi bod 'na ogla uffernol yn y tŷ?" mentrodd Dyddgu gan wylio pob ystum.

Cochodd wyneb Jano drosto. Tynnodd mor galed ar ei sigarét nes iddi bron â chrebachu yn ei cheg. Roedd Dyddgu'n gwybod. Ond roedd yn barod i wrando a gwylio'r gwingo.

"Hen sloman fudur ydi hi."

"Ond mae 'na ogla drwg iawn yn dod o'r ffenast ffrynt, ti'm yn meddwl?"

Roedd wyneb Jano yn bictiwr wrth iddi ddychryn bod Dyddgu wedi bod mor benodol.

"Ella mai'r damprwydd o dan y ffanast dio. Hen dai."

Penderfynodd Dyddgu fynd amdani. "Hen dai, ia. Ffyni sut maen nhw'n iwsho hen gyrten rêls pren gwag hefyd, 'de."

"Be ti'n aciwsio fi o?" meddai'n syth.

"Ddudish i ddim byd am aciwsio neb o ddim byd. Gneud *statement* nesh i. Ella bo chdi newydd aciwsio dy hun."

"Dwi ddim 'di gneud dim byd. Beth bynnag ydi o. Dim fi nath o."

"Dwi'n meddwl bod y ddwy ohonan ni'n gwbod am be dan ni'n siarad."

Syllodd Jano ar Dyddgu. "Be bynnag w't ti'n meddwl dwi 'di neud, yr oll dwi'n ddeud ydi, mae hi'n haeddu bob dim."

Gafaelodd Dyddgu yn ei braich a'i thynnu'n bellach i lawr y stryd gefn. Rhoddodd ei hwyneb fodfeddi o wyneb Jano a dweud yn dawel ac o dan reolaeth lwyr,

"Os ei di'n agos at y tŷ neu Morfudd eto mi ffonia i'r *police*. Ti'n dallt. Mae be ti 'di neud yn *harassment*. Dwi wedi cadw bob tamad. 'Di ddim yn haeddu hyn."

Camodd Jano yn ôl a gwenu drwy ei dannedd melyn. "Gei di weld," meddai cyn brasgamu i fyny'r stryd am adre.

"Be 'udodd y doctor, cyw?"

Rhedodd Jano ato a thywallt ei stori.

Gafaelodd yntau am ysgwyddau ei wraig. "Ma Mali 'di ffonio."

*

Pan ddaeth Dyddgu yn ôl roedd Morfudd yn cysgu'n drwm yn yr un safle'n union â phan y gadawodd hi. Roedd ei phen wedi gollwng a gwyliodd Dyddgu'r plygiadau croen o dan ei gên. Roedd yn ddynes dlws er fod y blynyddoedd wedi ei heneiddio. Gwyliai ei bol bychan yn codi a disgyn o dan y siwmper wlân.

Gwyddai Dyddgu fod Morfudd wedi dweud celwydd wrthi am Jano. Pam dweud celwydd am ei diswyddo? Cerddodd

Dyddgu at y gadair a phenlinio o'i blaen gan wylio pob brycheuyn a chrych. Pwy wyt ti? meddyliodd a pham na alla i gerdded i ffwrdd?

Byddai camu allan a chau'r drws mor hawdd. Doedd hi'n sicr ddim angen cymhlethu ei bywyd ymhellach. Roedd popeth mor flêr a di-angor yn barod. Gwelodd y boen ar wyneb Mori. Hyd yn oed wrth gysgu doedd hi ddim yn edrych yn fodlon. Roedd yr anadl yn bytiog a'r crych dwfn rhwng ei haeliau yn torri ar ddedwyddwch ei thalcen. Sibrydodd Dyddgu yn dawel rhag ei dychryn.

"Mori."

Neidiodd Morfudd wrth ddeffro.

"Sori. Do'n i ddim isho dy ddychryn di ond ti rili angen cymryd rhain," meddai a gosod y tabledi ar gledr ei llaw.

"Gest di nhw heddiw?"

"I have my ways!"

"Faint o'r gloch ydi hi?" gofynnodd.

"Pedwar o'r gloch," atebodd wrth edrych ar ei horiawr a syfrdanu ei hun. Dim ond tan dri oedd hi i fod i weithio. Byddai'n rhaid iddi ffonio Charlie i egluro cyn iddo fynd yn gandryll.

"Dwi am fynd allan i neud *phone call* sydyn," meddai. "Jest i egluro bo fi mynd i fod adra'n hwyr."

Lloriwyd Morfudd gan ei geiriau. Wrth gwrs bod rhaid i Dyddgu fynd adref ond roedd meddwl am fod hebddi'n ei thristáu. Roedd yr achos efo Jano wedi ei siglo i'w chraidd ac wedi ei gwthio i'r lle tywyll cyfarwydd. Teimlodd y pinnau bach yn cronni yn ei bysedd.

Gallai glywed llais Dyddgu'n codi'n uwch wrth y drws cefn. Roedd y dadlau'n swnio'n gyfarwydd hefyd. Rhoddodd ei dwylo dros ei chlustiau.

"Reit. Panad bach arall dwi'n meddwl. Ti'n barod am un?" meddai Dyddgu yn papuro dros graciau'r ffrae.

Dyna'r llais roedd hithau wedi ei ddefnyddio wrth guddio'r gwir.

"Dwi ddim isho i chdi gael stŵr gan Charlie. Ti wedi aros yn hwyrach nag oeddat ti i fod. Fasa'n well i chdi fynd adra."

"Yli, mi a'i adra pan dwi'n barod i fynd adra, iawn. 'Na'i jest delio 'fo'r *consequences* wedyn."

"Neitho'm bod yn frwnt efo chdi, na neith?"

"Dibynnu pa fŵd fydd arna fo. Paid â poeni amdana fi, Mori. Dwi'n gallu handlo fy hun."

Dyna roedd hithau wedi ei gredu ar y dechrau hefyd.

"Dwi isho i chdi fynd â 'nghar i," meddai. "Fyddi di adra lot cynt."

"Alla'i ddim mynd â dy gar di, siŵr."

"Wel, ti'n gyfarwydd efo'i ddreifio fo rŵan, dwyt? Dos â fo. Mi neith betha'n haws i chdi. Plis."

Roedd y cryfder newydd yn ei llais yn ddigon i wneud i Dyddgu dderbyn.

"Dwi angen help," meddai Morfudd. "'Nei di addo un peth i mi? 'Nei di ddod yma'n amlach gan bod gen ti'r car. Mi dala'i am yr oriau ychwanegol."

Gallai Dyddgu weld bod angen rhywun yma'n amlach nag ychydig oriau un diwrnod yr wythnos. Gwyddai y dylai ffonio'r gwasanaethau cymdeithasol neu feddyg ond doedden nhw ddim wedi bod o gymorth i'w mam. Roedd hwn yn gyfle iddi hi allu gwneud gwahaniaeth. Byddai'r oriau ychwanegol yn golygu y gallai brynu ei hoffer ffilmio yn gynt na'r disgwyl hefyd.

"Dwisho helpu chdi," meddai. "Dria'i ddod 'nôl dydd Gwenar."

Yn sydyn cododd problem dydd Gwener ei ben.

"Wel, ym, mae 'na rwbath dwi'm 'di egluro'n iawn," meddai Morfudd yn bwyllog.

"Os na poeni am Jano w't ti... Dwi wedi'i sortio hi allan. Chlywi di ddim mwy gynni hi eto."

*

Doedd Mali ddim wedi gallu cysgu am yr ail noson yn olynol.

Bu'n chwilota drwy hen ffeils ei thad ac roedd yr hyn a welodd yn syfrdanol.

Wedi craffu am oriau drwy waith papur diflas a lluniau o'i orffennol daeth o hyd i dameidiau o hen luniau pornograffig. Roedd o wedi eu torri allan o gylchgronau yn ofalus. Hoel siswrn taclus oedd o gwmpas cyrff y merched, nid rhwygiadau blêr difeddwl. Roeddynt wedi eu gosod ar dudalennau A4 gwag efo clipiau papur amryliw. Roedd gweld pa fath o ferched oedd yn troi ei thad ymlaen wedi gwneud iddi deimlo'n sâl.

Doedd hi ddim yn ddigon naïf i feddwl nad oedd dynion priod yn cael ffantasïau o'r fath. Yn rhinwedd ei swydd roedd wedi dysgu bod y byd yma wedi amharu ar ambell briodas ac wedi ei grybwyll yn yr achosion ysgaru. Roedd meddwl am ei thad yn cau ei hun yn ei swyddfa er mwyn edrych ar y merched ifanc bronnog yma ar gefndir gwyn yn ddechrau ar golli parch nad oedd yn barod amdano.

Roedd ei mam wedi ei rhwystro rhag mynd i fyny i'r hen dŷ i holi Morfudd, ond roedd y ddwy yn ceisio casglu cymaint o wybodaeth â phosib ac yn trafod efo'i gilydd cyn symud i'r cam nesaf.

Roedd Mali yn caru ei thad ac yn ei golli fwyfwy bob

blwyddyn. Roedd troedio'r un llwybr gyrfaol yn ei gadw'n agos. Gwyddai y byddai mor falch o wybod ei bod yn ei hen swyddfa bellach. Oherwydd y parch uchel a gafodd yn y byd cyfreithiol, roedd ei golli wedi bod yn ergyd drom i'r gymuned honno yng Ngwynedd.

Er bod ei mam wedi ceisio awgrymu'n ddoeth a gofalus nad oedd ei thad yn ddilychwyn, doedd Mali ddim yn barod i wynebu bod ei thad yn ddyn creulon. Roedd yn gallu bod yn frwnt ei dafod weithiau ond doedd hi ddim wedi gweld unrhyw beth a'i gwnaeth hi'n wirioneddol anghyfforddus. Er mai bob yn ail benwythnos a gwyliau ysgol yn unig y bu yng nghwmni ei thad a Morfudd tan yn ddiweddar, roedd derbyn iddi fod yn ddall i'r ddeinameg hyll yn ddychrynllyd.

Os oedd yr hyn a ddywedodd Tony yn wir, roedd ceisio dygymod efo'r ffaith ei bod wedi treulio cyfnodau efo'r un a niweidiodd ei thad yn anghredadwy. Siawns na fyddai Morfudd wedi gallu bod yn ei chwmni pe byddai'n euog. Dim ond person digydwybod fyddai'n gallu gadael i hynny ddigwydd.

Roedd ei byd mor hawdd tan iddi weld llun Dyddgu ar y sgrin. Doedd hi erioed wedi dychmygu y byddai holi fel a wnaeth wedi arwain at y dinistr a oedd yn ymhél o'i hamgylch. Er bod ymddygiad Morfudd wedi peri poendod iddi o'r blaen, doedd hi erioed wedi disgwyl hyn.

Byddai gweld Jano a Tony eto yn anodd ond roedd rhaid bod yn gryf.

Wrth gnocio ar eu drws ffrynt rhoddodd Rhian winc i'w merch. "Dwi efo chdi," meddai. "Fyddwn ni'n gry' i'n gilydd."

Agorodd Jano'r drws a gafael yn dynn am Mali. "Alla i'm

deud wrthat ti faint dwi 'di poeni. Dwi mor falch o dy weld di."

Eisteddodd y fam a'r ferch yn agos at ei gilydd ar y soffa gan wynebu'r ddau.

"Dwi jest isho ichi wbod bo fi ddim yn beio chi am beidio deud yn gynt. Mae Mam a fi 'di siarad drwy betha. Symud ymlaen sy'n bwysig rŵan a gwbod y gwir."

"Blydi hel, ia. Mae'n hen bryd iddi gael ei chloi i fyny os ti'n gofyn i fi," meddai Jano.

Edrychodd Mali ar ei mam. Roedd hithau'n ei chymell yn ei blaen.

"Dydi petha ddim mor hawdd â hynna, Jano. Mae 'na betha dan ni 'di ddysgu dros y dyddia dwytha 'ma yn awgrymu ella bod petha ddim fel y dylsan nhw 'di bod."

"Ym mha ffordd?" gofynnodd Jano.

Eglurodd Mali yr hyn ddysgon nhw am Kerry Short a'r ffaith ei bod wedi cael ei lladd gan ei gŵr ar ôl sefydlu elusen i ferched bregus. Aeth yn ei blaen i ddweud iddi fynd drwy hen ffeiliau ei thad a darganfod ei fod yn cadw cofnod o alwadau ffôn Morfudd a bod cylchoedd mawr o amgylch rhif yr elusen. Roedd wedi gweithio allan bod y ffrae fawr a gafwyd tua'r un cyfnod â phan ddaeth y galwadau i'r rhif yna i ben. Bu farw Kerry ryw ddeufis yn ddiweddarach.

"'Di hynna'n deud ffyc ôl. Ma Morfudd wastad 'di byw mewn ryw *fantasy world*."

"Jano. Dwi 'di ffeindio bod o'n rhoi lwfans misol pitw iddi. Mae 'na restr o'i *passwords* hi i gyd mewn un ffeil a dyddiadur sy'n rhoi marciau allan o ddeg am ei hymddygiad."

"Ia, wel, mae hi wedi bod yn *weird* erioed."

"Jan. Gwranda ar be mae Mali'n ddeud," meddai Tony.

"Dio dal ddim yn neud o'n iawn!" gwaeddodd Jano.

"Does 'na ddim o hyn yn iawn, Jano. Ond mae'n rhaid i ni edrych ar bob dim cyn mynd at yr heddlu. Mae petha'n mynd i fynd yn gymhleth."

Trodd Jano at ei gŵr gan wybod bod Mali'n dweud y gwir.

*

Pan ddaeth dydd Gwener roedd Morfudd wedi codi o'i gwely ac wedi gwisgo a molchi erbyn deg o'r gloch y bore. Roedd y dydd Iau wedi bod yn ddiwrnod o geisio ailafael yn y realiti a oedd wedi llithro o'i gafael dros yr wythnos ddiwethaf. Roedd y ffaith nad oedd Mali wedi aros wedi gwneud pethau'n haws. Gallai wneud fel y mynnai heb deimlo'r pwysau o gael rhywun yn ei gwylio o hyd. Casâi ei hun am awgrymu wrth Mali ei bod yn sâl ond roedd mor anodd rhoi'r gorau i hen gastiau.

Erbyn hanner dydd roedd yn sefyll wrth ffenestr yr ystafell sbâr. Gobeithiodd fod Dyddgu'n dweud y gwir ac nad oedd Jano am droi fyny. Roedd eto i ddeall beth oedd wedi digwydd a sut nad oedd wedi bod draw i greu stŵr.

Ysgafnhaodd ei hysbryd pan welodd ei char bach coch yn dod i fyny'r lôn. Gwelodd fod y teiar wedi ei newid a bod ei char yn edrych yn hapusach fel hithau.

Er bod Morfudd yn dal i deimlo'n ddiegni a bod ei llais mewnol yn ei phoeni, doedd dim gwadu bod gweld Dyddgu yn lleddfu'r gwacter y tu mewn. Roedd ei phen yn chwyrlïo ers iddi ddechrau cymryd y tabledi eto a gwyddai y byddai'n cymryd ychydig o ddyddiau i'w hymennydd setlo yn ei phenglog.

Gloywodd wyneb Dyddgu pan agorodd Morfudd y drws.

"Blydi hel! Ti'n edrych yn well, Mori!" meddai a cherdded heibio iddi am y gegin i ddadbacio'r bwyd yn ei bagiau trwm.

Allan o un o'r bagiau daeth tusw o flodau.

"Oedd Nain yn deud bod bloda yn gallu gwella pobl. Oedd gynni hi ardd *amazing*. Sgin i'm gardd *obviously*, yn byw mewn fflat… so dyma rei o siop i chdi."

Gosododd y blodau ar y bwrdd. Wrth weld eu lliwiau a sylwi ar eu coesau'n cyffwrdd y dŵr yn barod i'w gwella dechreuodd Morfudd grio.

"Gad o i gyd allan. Pob tamaid bach ohono fo," meddai Dyddgu.

Roedd wedi hyfforddi ei hun i beidio â chrio ers blynyddoedd. Heddiw, roedd y mygu mewnol yn arllwys i lawr ei bochau. Agorodd ei cheg.

"Paid ti â meiddio deud be dwi'n feddwl ti'n mynd i ddeud, iawn?"

"Iawn," meddai Morfudd yn dawel.

Eisteddodd y ddwy yno'n hir gyda Dyddgu'n gadael iddi ddod ati ei hun yn raddol. "Dwi am neud cinio bach," meddai yn y man. "Dos di i eistedd drwadd i'r lle gwydr 'na."

Gallai Dyddgu glywed cerddoriaeth isel yn llifo drwy'r drws. Doedd hi ddim yn nabod y gân. Rhywbeth Cymraeg *obscure* mae'n siŵr, meddai'n gwenu wrthi ei hun.

Galwodd Dyddgu ar Morfudd i ddod at y bwrdd bwyd. Doedd hi ddim am gychwyn mynd â bwyd i'r lle gwydr. Roedd yn bwysig ei bod yn symud yn lle mynd i gastiau drwg o eistedd mewn un gadair fel wnaeth ei nain yn ei blynyddoedd olaf.

Ers iddi fod yno roedd ffôn Dyddgu wedi bod yn hynod o brysur. Tybiodd Morfudd ei bod yn gwybod beth oedd yn mynd ymlaen ond doedd ganddi ddim hyder i holi.

"Paid â mynd yn *excited*. Ond *chips*, pys a ham sgin i i chdi."

"Fy ffefryn," meddai Morfudd.

Eisteddodd y ddwy yn bwyta'n dawel wrth ochr ei gilydd.

*

"Ti'n teimlo ddigon da i fynd am dro pnawn 'ma? Alla'i ddreifio chdi i rwla," meddai Dyddgu wrth lenwi'r peiriant golchi. Roedd wedi ei chyffroi drwyddi yn sgil y rhyddid newydd o gael car.

Gwyddai Morfudd yn iawn lle y dylsai fynd ond ni theimlai'n ddigon cryf i wynebu'r peth heddiw.

Synnodd Dyddgu o'i chlywed yn sôn am ei mam. Doedd hi ddim wedi bod yn ymwybodol bod ganddi un a oedd yn fyw. Eglurodd Morfudd nad oedd y berthynas wedi bod yn un iach o'r dechrau.

"Bechod 'di hynna, 'de. O'n i'n caru mam fi gymaint sdi, ond nath hi ddewis y *booze*."

"Rodd hi'n sâl, Dyddgu. Rhaid i chdi gofio hynna."

"Ia, OK, ond tria ecsplenio hynna i hogan bach oedd yn crynu gymaint yn tŷ achos bod 'i mam hi 'di gwario'r pres letric i gyd ar botal arall o wbath cry' a chydig o *weed*. O'n i methu hachub hi. Dodd hi'm isho'i hachub."

Syllodd Morfudd ar y ferch ifanc. Gwyddai ei bod hi yno am reswm.

"Pam ti'm yn dod mlaen efo mam chdi, 'ta?" gofynnodd Dyddgu.

"Dwi'm yn meddwl bod hi rioed 'di licio fi, hyd yn oed pan oedd Dad yn fyw."

"Ffycin hel, ma rhieni yn gallu ffwcio bywydau plant nhw fyny, dydyn?"

Gwenodd Morfudd. Roedd oedolion yn gallu gwneud hynny i'w gilydd hefyd.

"Reit. Gwisga dy gôt. Dan ni am chwarae gêm Chwith Dde. S'im rhaid i chdi fynd i weld mam chdi os ti'm yn teimlo fel gneud, OK."

Cyn i Morfudd allu holi dim, eisteddodd y ddwy yn y car a Dyddgu'n byrlymu wrth egluro rheolau'r gêm. Ei thaid oedd wedi ei dysgu iddi. Byddai'n rhaid i'r ddwy ddewis i ba gyfeiriad i droi'r car am yn ail.

"Chwith!" gwaeddodd Morfudd. Taniodd Dyddgu'r car ac i ffwrdd â nhw ar eu hantur fach i deimlo'n well.

Wedi ambell droad gwag i ganol iardiau fferm a lonydd stopio'n stond, llwyddodd Morfudd i lywio'r ymwelydd am iseldir Llanelltud ac i fyny i ucheldereau Llanfachreth. Roedd gweld wyneb Dyddgu'n rhyfeddu wrth weld llecynnau cudd ei hardal yn ei llonni drwyddi.

"Blydi hel. Do'n i'm yn gwbod bod 'na hen *monastery* yn fanna! Waw! Mae'r bont 'na'n *amazing*! Sbia'r plasdy 'na, ma'n nyts! Faint oed ydy'r hen gloc 'na? Mae hwnna fatha tŷ Hansel a Gretel."

Atgoffai ei brwdfrydedd hi o'r cyfnod pan gyflwynodd Dafydd yr hen bethau godidog yma iddi hithau. Roeddynt wedi cipio ei hanadl. Yr un llecynnau a ddaeth yn garchar wedyn. Dyma'r llecynnau y troediodd hi trwyddynt ynghanol nos ers blynyddoedd. Pob tamaid a phob tŷ yn cadw ei gyfrinach ei hun.

"Parcia'r car yn fanma. Dwisho dangos rhywbeth i chdi," meddai Morfudd.

Cerddodd y ddwy o'r man parcio a heibio hen dai cerrig cyn agor giât ac esgyn i fyny'r llain werdd o dir o'u blaenau. Gwyliodd wyneb ei chydymaith newydd wrth iddi weld y llyn yn datgelu ei hun iddi'n raddol. Wrth sefyll ar ben y chwydd mwsog fe welodd y ferch ifanc yr olygfa'n llawn.

"Ffyc mi. Ma hwnna'n *magic*," meddai.

Chwarddodd Morfudd.

"Llyn Cynwch 'di hwn. Un o'n hoff lefydd i yn y byd. Pan mae'r haul yn machlud yn binc dros y Gader ar noson o haf, fasa chdi'n taeru bo chdi'n gwbod be 'di ystyr perffeithrwydd."

"Blydi hel, Mori, ti'n siarad fatha *poet* weithia, sdi. Mae hynna yn hollol blydi lyfli be ti newydd ddeud. Dwi'n mynd i gofio hynna."

"Dwi'n falch. Dw inna'n mynd i gofio rŵan hefyd."

Doedd Morfudd wir ddim yn cofio munud mor bur yn ei phen. Roedd yr ofnau'n cael eu cario efo'r gwynt dros y Gader. Doedd dim rhaid ei gwylio o bell bellach. Roedd hi'n sefyll yma efo hi. Dyddgu oedd wedi arwain hyn. Roedd hi yno am ei bod wedi gweld rhywbeth ynddi hi. Gallai Morfudd weld ei phrydferthwch hithau.

*

Pan ddaethant yn ôl i'r tŷ, roedd Charlie'n eistedd ar stepen y drws. Safodd ar ei draed a brasgamu tuag atynt wrth weld y car yn cyrraedd yr iard. Roedd yn amlwg wedi ei gynhyrfu.

"Tisho cloi'r drysa?" gofynnodd Morfudd.

"Na. Mi alla'i handlo fo. Dos di mewn i tŷ. Fydda'i ddim yn hir."

"Ti'n siŵr?"

"Yndw. Wir."

Cerddodd Morfudd heibio iddo heb godi ei llygaid rhag ei gythruddo.

"Pam ti'm 'di bod yn atab *messages* chdi?"

"'Di signal ddim yn dda 'ma, Charlie."

"*Bullshit*!"

Sleifiodd Morfudd y tu ôl i'r drws cilagored a gwasgu'r ddolen yn dynn.

"Pam ti'm yn atab fi?"

"Ffyc off, Charlie."

"Dwi 'di bod yma ers oria."

"Ti 'di gweld fi 'wan. Fama ydw i. Gin i job i neud. Rŵan *piss off.*"

Roedd clywed Dyddgu yn ateb yn ôl fel hyn yn ei dychryn. Roedd yr ysbryd yna wedi bod ynddi hithau ar y dechrau cyn i Dafydd ei thorri'n raddol. Roedd o wedi gwirioni ar ei noethni, ei thawelwch allanol a'i diffyg sgiliau o gwmpas y tŷ. Cafodd ei gyfareddu gan ei hwyneb a'i chorff a'i pherthynas efo'r nos. Ond roedd y pethau hyn yn ddychryn iddo. Yr un dychryn oedd yn y llais ar yr iard.

"Pryd ti'n dod adra?"

"Pan fydda'i 'di gorffan," atebodd Dyddgu. "Ma hi'n sâl a dwisho helpu."

"Ti 'di newid dy gân. Oeddat ti'n galw hi'n nytar diwrnod o'r blaen."

Gwegiodd Morfudd. Gwyliodd ei bysedd yn gwynnu o gwmpas y ddolen ac erfyniodd ar ei llaw i beidio gollwng. Roedd yr awch i gosbi ei hun yn tyfu tu mewn iddi. Sut y bu hi mor wirion i feddwl bod Dyddgu wedi ei hoffi a'i deall?

"Rŵan, gorffan y ffag 'na a mi a'i â chdi lawr at y bys stop a wela'i di wedyn. OK?"

Gwyliodd Dyddgu ei chariad yn diffodd ei sigarét a'i hyder wedi ei danio am ryw hyd. Ond unwaith eto, roedd darn bach ohoni wedi ei wthio i'r grafel dan ei draed.

Gyrrodd y ddau am y dref mewn tawelwch llwyr.

"Ffyc!" gwaeddodd Dyddgu wrth gyrraedd y safle bws ar y sgwâr.

"Be?"

"Allan!" gorchmynnodd. "Fydd Mori'n meddwl bod fi 'di gadal hi a dwyn y car."

"A be amdana fi?"

"Charlie. *For fuck sakes*, sgin i'm amsar i hyn." Gwthiodd o allan a chwythu sws ar ei ôl.

Trodd Dyddgu'r car ynghanol y sgwâr gan gythruddo gyrrwr y *pickup* tu ôl iddi.

"Dysga ddreifio!" gwaeddodd ati.

"Golcha dy gachu!" hefrodd hithau'n ôl a chodi dau fys.

Rhoddodd ei throed ar y sbardun a gyrru yn ôl am y tŷ. Protestiodd gêrs y car bach wrth i Dyddgu eu sodro yn frwnt i'w lle. Wrth droi o gwmpas y gornel olaf un fe slamiodd ei brêc.

Yno yn sefyll ar ganol y lôn roedd Mori heb ddafnyn amdani. Dim ond gwên.

"Ffwcin *hells bells*!" sgrechiodd Dyddgu. "Be ti'n NEUD?"

"Profi i chdi bo chdi'n iawn."

"O mai god. Jest ty'd i mewn i'r car 'nei di! RŴAN!"

Gwenodd Morfudd a cherdded yn araf a gosgeiddig gan blannu ei phen-ôl noeth ar y sedd wrth ei hochr.

"Faswn i wedi gallu dy ladd di!"

"Ond nest di ddim," meddai Morfudd.

Eisteddodd y ddwy yn edrych yn syth o'u blaenau. Ceisiodd Dyddgu aildanio'r car. Trodd y goriad deirgwaith a phwyso ei throed ar y sbardun ond heb lwc.

"Cym on!" meddai a tharo ei dwylo ar y llyw. "Plis. Cym on cyn i rywun basio!"

"Amynedd, Dyddgu."

"Sgiws mi, ond dwi ddim yn gwrando ar ddynas noethlymun dwi bron newydd ladd."

"Tynna dy droed oddi ar y sbardun. Ti'n fflydio fo. Niwtral. Tro a pwysa'n ysgafn. Teimla fo. Paid â hamro."

Ufuddhaodd. "Diolch," meddai heb allu troi ei llygaid ati.

Wedi parcio'r car, cerddodd Morfudd at y tŷ. Safodd ar y stepen drws ac edrych dros ei hysgwydd.

"Nytar. Mond nytar ydwi. Ti'n iawn."

Rhoddodd Dyddgu ei phen i lawr. Oedd, roedd wedi dweud pethau creulon amdani. Ond cafodd ei rhyfeddu a'i hudo ganddi hefyd. Roedd hi mor wahanol i bawb. Ni haeddai gael ei brifo.

Disgwyliodd Morfudd amdani yn yr ystafell haul. Eisteddodd ar y gadair ledr wedi ei lapio yn y garthen frethyn.

"Sori, Mor," meddai Dyddgu.

"Mae'n iawn."

"Na dio ddim."

"Mae pobl 'di galw fi'n enwa erioed. O'n i'n meddwl faswn i'n dangos y fi go iawn i chdi. Ella mai nytar ydw i a dim byd arall."

"Plis paid â deud hynna. Dio'm yn wir." Roedd hi bron â thorri ei bol eisiau iddi wybod bod yr hyn a wnaeth yn wefreiddiol.

"Nesh i gael 'y mrifo'n cl'wad be ti 'di bod yn galw fi. Ond dwi'n gwbod rwbath. Dwi'n gwbod bo chdi'n licio fi."

"Dwi yn licio chdi. Ti'n gneud fi wenu. 'Nest di rili ddychryn fi, sdi."

"Dwi'n falch. Roedd 'na ysbryd yndda i unwaith. Paid ti â meiddio newid i neb, ti'n fy nghlwad i?"

*

Gan ei bod hi'n nos Wener fe benderfynodd Dyddgu geisio coginio cig. Doedd hi ddim yn hoff o gig. Roedd well ganddi *fishcakes* a Supernoodles neu botiau oedd angen mymryn o ddŵr. Ers bod yn y tŷ, roedd ei meddwl wedi bod yn creu ffantasïau tawel.

Dychmygai ei hun yn cerdded i fyny'r llwybr a'i gŵr yn edrych arni drwy ffenest y gegin a phaned o goffi go iawn yn ei law. Pigai flodau go iawn o'r ardd ac eistedd wrth ymyl ei gŵr fyddai'n darllen ei bapur fel y gwnâi'r darlithydd a'i wraig yn caffi Karen. Galwai ar y plant i ddod allan o'r cae cyfagos i fwyta eu swper hyfryd.

Wrth ddarllen y cyfarwyddiadau ar y bocs *chicken Kiev*, clywodd Morfudd yn camu i'r gawod. Roedd wedi dweud wrthi fynd i gysgu am ychydig oriau ar ôl digwyddiadau'r prynhawn.

Er mor ymwybodol oedd hi bod Morfudd yn ddynes mewn gwendid, fe wirionai ar ei hysbryd herfeiddiol. Roedd poeni am yr achos llys wedi bod yn pwyso'n drwm ar Dyddgu ers wythnosau. Roedd cael dianc yn braf.

Mentrodd edrych ar ei ffôn. Roedd degau o negeseuon yn disgwyl amdani. Nosweithiau Gwener oedd y rhai prysuraf. Bydda'n rhaid iddi gyrraedd adref mewn pryd i ateb ambell gais a ffilmio sioe fer cyn noswylio. Roedd yn bwysig cadw'r rhai cyson yn hapus.

Gwyddai hefyd mai bregus a chwil fyddai Charlie erbyn iddi gyrraedd 'nôl. Gwastraffai gymaint o'i hegni yn ei gysuro. Sylweddolai ers misoedd fod y berthynas yn dirwyn i ben ond doedd y nerth i fynd drwy'r llanast hwnnw ddim ynddi ar hyn o bryd.

Daeth Morfudd i lawr y grisiau a minlliw ar ei gwefusau, "Ti'n edrych yn dda. Mae'r lliw yna'n dy siwtio di."

Dysgodd Morfudd sut i dwyllo ei hymennydd dros y blynyddoedd. Gwyddai ei bod yn gwella pan deimlai'r awch i baentio ei hwyneb. Byddai hynny yn ei dro yn rhoi cic fach i'w thu mewn.

"Diolch," meddai a chamu at y bwrdd. "Mae 'na ogla da yma beth bynnag."

"Ma garlic yn gallu rhoid ogla *professional* i rwbath ddo, yndi!" chwarddodd Dyddgu.

"Gymri di wydrad o win?" gofynnodd Morfudd.

"Dwi'n dreifio."

"Neith un bach ddim gwahaniaeth," meddai a chyn i Dyddgu allu protestio go iawn roedd yr hylif yn ei gwydr.

"Dio'n saff i chdi yfad hwnna efo dy dabledi di?" mentrodd Dyddgu.

"Dio'n gneud dim gwahaniaeth," meddai'n twyllo eto. "Mae hi'n nos Wener. Dwi'n teimlo'n well a dwi isho diolch i chdi."

"'S'im isho diolch. Wir." Cododd ei gwydr a'i daro'n ysgafn yn erbyn un Morfudd.

*

Nos Wener oedd hoff noson Rhian. Roedd Mali wedi ei pherswadio i brynu *hot tub* ers tua blwyddyn ac roedd wythnos brysur yn y feddygfa yn aml yn cael ei lleddfu gan fybls y twb a'r rhai yn ei gwydr. Boed law neu haul, byddai'n mentro yr ychydig gamau drwy ddrws y gegin i'r patio dan do ac yn suddo i mewn iddo.

Ni theimlai y dylai fynd yn agos iddo heno. Roedd y twb o dan ffenest ystafell wely ei merch. Roedd Mali wedi cau ei hun yno ers dod yn ôl o'r cartref hen bobl a gwyddai fod gwaith ymchwil mawr ar droed. Un ddiwyd fu Mali erioed. Unwaith y rhoddai ei meddwl ar waith, doedd dim stop arni. Poenodd Rhian fod hyn yn mynd i fod yn ormod iddi.

Doedd hi ddim wedi bod yn ddigon cryf eto i ddweud wrthi yr hyn y bu'n ei guddio oddi wrthi. Gwyddai y byddai hynny'n gorfod cael ei drafod maes o law. Am rŵan, roedd yn ddigon iddi orfod delio efo'r wybodaeth oedd ar ei phlât yn barod. Roedd Rhian am i Mali fynd at yr heddlu a rhannu'r hyn oedd ganddynt yn barod. Anghytunai Mali. Roedd hi'n benderfynol o wneud cymaint o waith ymchwil â phosib cyn cyflwyno unrhyw fanylion i'r awdurdodau.

Wedi gadael lle Jano a Tony roedd Mali wedi mynd yn syth i'r cartref hen bobl i weld mam Morfudd. Roedd y ddwy wedi hoffi ei gilydd erioed. Fe'i synnwyd heddiw gan ei dirywiad meddyliol. Doedd hi ddim wedi ei gweld ers ychydig o fisoedd ac roedd y gwahaniaeth ynddi yn amlwg iawn. Byddai'n anodd ceisio ei holi am y noson honno. Câi drafferth cofio beth a wnaeth wythnos diwethaf heb sôn am bron i dair blynedd yn ôl.

Penderfynodd holi'r staff yn lle hynny. Heb godi bwganod, roedd wedi ceisio cael gwybod pwy oedd yn gofalu am fam Morfudd ar y noson pan fu farw ei thad. Gwyddai fod camerâu diogelwch o gwmpas yr adeilad ond mater i'r heddlu fyddai hynny. Roedd Mali am wybod a fyddai wedi bod yn bosib i Morfudd adael y cartref yn ystod y nos.

Merch o Wlad Pwyl oedd yn gofalu am fam Morfudd ar y pryd. Roedd wedi mynd yn ôl yno bellach yn sgil gwaeledd ei mam ei hun. Roedd Mali yn ei chofio. Merch hawddgar a oedd yn dysgu Cymraeg.

"O ia, roedd hi'n lyfli," meddai'r ferch wrth y ddesg. "Lena, yn de. Lena be oedd hi, dwad?"

Wedi cael ei chyfenw, gwyddai Mali y byddai Facebook yn ffrind.

Roedd y gwaith ymchwil arall yn anoddach i'w dderbyn. Roedd twrio drwy ffeils ei thad yn datgelu patrwm hyll o reoli a chwarae gêms. Y tactegau bychain a oedd yn cuddio rhwng cloriau ei hen lyfrau nodiadau gwyrdd oedd yn ei dychryn fwyaf. Wedi bod ar wefan y Kerry Short Foundation a darllen am brofiadau unigolion, roedd ceisio deall eu harwyddocâd yng nghyd-destun y wybodaeth newydd yn pwyso'n drwm arni.

Roedd un calendr bychan yn cynnwys cofnod o'r dyddiau y rhoddai ei thad ei ganiatâd i Morfudd ddefnyddio Facebook. Byddai'n ysgrifennu DF (Dim Facebook) a F (Facebook) wrth y rhifau ac yn nodi'r cyfrinair diwethaf iddo ddewis ar ei chyfer.

Roedd pob tamaid ohoni yn erfyn mai nid y dyn yma oedd ei thad ond roedd blynyddoedd o astudio a hyfforddi yn ei maes wedi ei dysgu i gwestiynu popeth.

Roedd trafodaeth iawn efo'i mam yn hanfodol hefyd.

Daeth yn glir bod 'Lena Kowalski' yn enw poblogaidd yng Ngwlad Pwyl. Daeth o leiaf deugain i fyny ar Facebook. Ond roedd gan un ohonynt dair ffrind yn Nolgellau. Hon oedd ei Lena hi.

Cyn dechrau gor-feddwl, cynlluniodd neges yn gofyn cwestiynau am y noson y bu farw ei thad. Ceisiodd beidio â datgelu trywydd ei hymchwil. Dywedodd ddigon ond heb gynhyrfu'r dyfroedd. Pwysodd y botwm a'i anfon.

"Mam! Rho'r *hot tub* 'na 'mlaen!" gwaeddodd i lawr at y gegin. Byddai bybls a sgwrs yn dda.

*

Chwerthodd Morfudd wrth lenwi gwydrad Dyddgu eto.

"Paid!" meddai. "Fydda'i methu dreifio. Mae gen i betha i neud."

"Allan nhw aros tan fory dwi'n siŵr."

"Na. Allan nhw ddim."

"Ofni Charlie wyt ti?" gofynnodd Morfudd.

"Hynny hefyd. Dio ddim werth yr hasl. Dwi angen gweithio."

Teimlai Morfudd fod hwn yn amser addas i ofyn iddi am yr hyn ddywedwyd wrthi y tu allan i'r cwrt. Roedd yn siŵr mai dyna pam oedd ei ffôn mor brysur. Penderfynodd ofyn am y fideos pornograffig.

Tagodd Dyddgu ar ei gwin. "O mai god, Mori, ma'r ffordd nest di ofyn hynna mor ffyni."

"Ffyni?"

"Ia. Mor hen ffasiwn. Yndw. Dwi'n *involved* yn hynna. Dio ddim fel wyt ti'n meddwl amdano fo. Fi sydd *in control*. Dwi ddim yn *ashamed* ohono fo."

"Nesh i'm beirniadu chdi. Jest isho gwbod ydw i," meddai Morfudd.

Eglurodd Dyddgu yn ddi-ffrwt fod y busnes rhyw yn fusnes mawr a bod rhaid gweithio'n galed i fod yn rhan ohono os am fod yn llwyddiannus.

"O'n i'n arfar teimlo'n *shit* amdan 'yn hun ond ers bod yn *Cam Girl* ma *self esteem* fi 'di mynd drw to."

Doedd Morfudd ddim yn medru derbyn hyn.

"Dwi'm yn disgwyl i chdi ddallt. Mae o'n saff. Ma bob math o ddynion a merched isho *intimacy* a dwi'n cynnig profiad *sexual* fwy *intimate* iddyn nhw."

Llowciodd Dyddgu ei gwin rhwng brawddegau.

"Dwi'n creu ffantasi iddyn nhw a dwi ddim yn gorfod mynd

yn agos atyn nhw. *Illusion* ydi o i gyd. Dwi 'di bildio *fanbase* da a dwi'n mynd i gychwyn busnas efo jest merched yn gweithio i fi. Dwisho empowyrio merched fatha fi."

Doedd dim o'i le ar deimlo'n dda, gwyddai Morfudd hynny'n iawn ond ni allai dderbyn bod Dyddgu'n mwynhau gwneud beth y dymunai'r dynion yma iddi wneud.

Meddyliodd am y lluniau y gorfodwyd hi i'w gwylio pan oedd yn briod. Deallai nad oedd Dyddgu'n cael rhyw efo dynion eraill ar y sgrin ond roedd meddwl amdani'n creu delweddau ffantasïol o'i hystafell wely yn ei drysu.

"Os dio mor grêt, pam bo chdi'n gweithio i fi a'r becws a'r pyb?"

"Ma 'na wancars yn bob *industry*. O'n i'n gweithio i un o rheina. Dwi mewn *debt* o achos fo. Dwi angan neud gymaint o jobsys bach i gael fy hun allan o'r *mess* a cael busnas fi *off the ground* eto."

Rhannodd sut y bu i Gavin, y cyn-gariad, ei gwthio i weithredu mewn modd peryglus a buddsoddi ei harian mewn mentrau anghyfreithlon. Roedd pethau wedi chwerwi ymhellach pan ddarganfu ei bod yn feichiog.

"Doedd o ddim isho'r babi. Odd o jest isho fi fel *commodity*. Nath babi bach fi benderfynu peidio byw, ddo."

"Fo frifodd chdi?"

"Na. Wir. Nesh i'm colli'r babi achos fo. Ond dwi'n meddwl bod hi 'di gwbod bod hi ddim isho fo fatha tad. Pan nath o falu gwynab Leanne oedd raid i fi helpu hi a neud hogan bach fi'n prowd."

"Fasa dy hogan bach di'n prowd o'r porn?"

"Paid â *even* mynd i fanna. Fasa hi'n prowd bo fi'n codi off 'y nhin i neud pres yn lle endio fyny fatha hannar mêts fi? Basa. Sa hi'n prowd bo fi'n dechra busnas fy hun? Basa."

"Sori. Oedd hynna rhy bell," meddai Morfudd.

"Oedd. Ti rili ddim yn nabod fi. Ma 'na lot ddim yn cytuno efo *choices* fi. Dwi'n iawn. Ti'm angan poeni amdana fi."

"A Charlie?"

"Ma raid i fi watshiad fy hun efo fo, dwi'n gallu gweld hynna. Mae o'n *possessive*."

Roedd ei geiriau'n codi cryd ar Morfudd. "Rhaid i chdi orffan petha. Ti'n sylweddoli hynna, dwyt?"

"Dio ddim mor hawdd â hynna."

Gwyddai Morfudd hynny'n iawn. Doedd hi erioed wedi gallu dweud wrth neb am y blynyddoedd o arteithio tawel. Doedd hi ddim wedi gallu cyfaddef iddi'i hun. Er bod bron i dair blynedd ers i Dafydd farw, doedd hi ddim wedi darganfod ei goleuni. Er na fu yn yr ysbyty ers hynny, teimlodd ei bod yn llithro i'r lle cyfarwydd hwnnw eto.

Roedd pethau'n haws rhyngddi hi a Dafydd yn yr wythnosau cyntaf wedi iddi ddod adref o'r ysbyty bob tro. Roedd yr ymweliadau ysbeidiol fel pe baent yn arwydd i Dafydd o'i chariad llwyr tuag ato. Byddai'n ei bwydo a'i gwisgo ac yn gofyn i Jano gadw draw.

Roedd cael y cais Facebook wedi agor bocs a fu dan glo mor hir. Bu'n rhy hwyr i allu achub Kerry. Ond roedd gobaith i Dyddgu. Roedd 'na reswm bod y cais wedi ei chyrraedd hi.

"Mi fydd rhaid i chdi aros heno. Elli di ddim dreifio."

"Alla'i ddim. Fydd o methu delio efo hynna."

*

Deallai Mali beth oedd apêl *hot tubs*. Roedd gardd ddigon cyffredin yn sydyn yn teimlo'n egsotig. Cododd ei phen ac edrych ar y lleuad a gadael i'r bybls bach cynnes ddawnsio o gwmpas ei phen-ôl.

"Ma hyn yn lyfli, Mam."

Gwenodd Rhian. Roedd yn braf gweld ei merch yn hapus am ennyd fach.

Er bod gan Rhian bartner ers tua blwyddyn, roedd y ddau yn deall ei gilydd. Roedd o'n feddyg yn Ne Lloegr, yn weddw a chanddo dri o blant. Roedd ei fywyd yn llawn fel un hithau ac roedd ei gymuned a'i blant yn bwysig iddo. Roedd y penwythnosau ysbeidiol a'r gwyliau dramor yn ychwanegiadau perffaith i'w bywydau llawn ac yn eu siwtio i'r dim.

Roedd hi'n hapus ei byd bellach. Doedd magu plentyn ar ei phen ei hun ddim wedi bod yn hawdd er bod Mali'n aros efo'i thad bob yn ail benwythnos. Wrth edrych ar ei merch yng ngolau'r lleuad, roedd yn ofni beth oedd o'i blaen.

Buont mor agos dros y blynyddoedd. Roedd gadael y nyth i fynd i'r brifysgol wedi bod yn anodd i'r ddwy ac er eu bod yn trafod popeth dan haul, roedd gwir emosiynau wedi cael eu gwthio o'r neilltu ar adegau. Cafodd Mali gefnogaeth i alaru ac i siarad am ei thad yn y blynyddoedd diwethaf ond doedd hi erioed wedi gallu trafod erchylltra'r gwahanu a'r effaith emosiynol a gafodd ar ei mam.

Er bod Mali yn ugain oed pan fu farw ei thad, fe aeth i fyw i ffwrdd yn syth a doedd y trafod oedolion ddim wedi digwydd. Gyrfa oedd yn flaenoriaeth ers iddi golli ei thad a bu cario'r traddodiad teuluol yn bwysig iddi. Er bod ganddi'r gallu i wneud y dewis rhwng y byd meddygol a'r un cyfreithiol, gwyddai ers pan oedd yn ifanc mai dilyn ei thad a wnâi.

Roedd ei farwolaeth yn ergyd ar gyfnod mor dyngedfennol yn ei haddysg. Er iddi gael ei llorio, bu'n sbardun iddi weithio'n galed. Gan nad oedd wedi aros yn ei hen gartref ers blynyddoedd tan cael y lleoliad yn swyddfa ei thad, doedd hi ddim chwaith wedi sylwi'n iawn ar natur ei berthynas ef a Morfudd. Gwyddai am natur feudwyaidd ei llysfam a'i phroblemau meddyliol ond ni fu iddi amau am eiliad bod gan ei thad unrhyw ran yn ei hynysu oddi wrth y byd.

Roedd popeth wedi ei droi ben i waered. Feddyliodd hi erioed y byddai mewn sefyllfa o'r fath. Er bod ei mam a hi wedi trafod cymaint dros y dyddiau diwethaf, roedd cwestiynau mawr ac amlwg yn dal heb eu cyffwrdd.

Tywalltodd Mali wydrad o prosecco arall i'w mam cyn gofyn un o'r cwestiynau ar ei meddwl.

"Nath Dad rioed dy frifo di, Mam?"

Gwyddai Rhian fod y cwestiwn ar y ffordd ac roedd ei hateb yn barod.

"Ddim yn gorfforol, naddo. Ond mi roedd 'na greulondeb yna'n sicr. Roedd dy dad yn ddyn carismataidd iawn. Mi roedd pobl yn cael eu denu ato fo. Mond y bobl agos oedd yn gweld y tywyllwch."

"Oedd o'n trio dy reoli di?"

Bu Rhian yn ceisio gwneud synnwyr a chofio manylion er mwyn ceisio helpu ei merch. Yn sicr roedd arwyddion wedi amlygu eu hunain. Ceisiodd ei darbwyllo i roi'r gorau i gymaint o bethau a'i gwnaeth hi'n hi ond roedd hi'n glyfrach a chryfach na fo. Petasai'n llai hyderus byddai'n stori wahanol iawn. Petasai hi'n debycach i Morfudd.

Syllodd Mali i fyw llygaid ei mam.

"Ti'n meddwl bod o ynddi hi?"

Wrth wylio ei merch yn disgwyl am ei hateb, gwyddai Rhian fod rhaid iddi fod yn onest.

"Yndw."

Gwyddai hefyd fod rhaid iddi gyfaddef yr hyn a fu ar ei meddwl cyhyd. Rhywbeth fyddai'n gorfod dod yn hysbys wrth i'r manylion gael eu casglu i greu'r stori gyflawn.

*

Roedd Charlie wedi gwylltio'n gacwn wrth siarad efo Morfudd ar y ffôn. Cyhuddodd hi o geisio meddwi Dyddgu er mwyn ei chadw yno. Galwodd hi'n enwau ffiaidd a chafodd hithau gipolwg o'r hyn y gorfu i Dyddgu ei ddioddef.

Doedd Charlie ddim yn dychryn Morfudd. Roedd hi wedi siarad yn bwyllog a dweud nad oedd unrhyw opsiwn arall iddi ond aros. Gorfodwyd Charlie i dderbyn y sefyllfa ac agorwyd potel arall o win.

"Dwi'n mynd i gael *shit* rôl mynd adra fory," meddai Dyddgu wrth godi'r gwin i'w gwefusau.

"Ond am heno, gei di fwynhau dy hun ac anghofio amdano fo," meddai Morfudd.

Wrth i ffôn Dyddgu wneud sŵn unwaith eto, cofiodd fod gwaith yn galw. Byddai'n rhaid iddi ofyn i Morfudd am gael defnyddio rhywle yn y tŷ. Gwyddai nad oedd Morfudd yn cytuno efo'i dewisiadau gyrfaol ond ni allai siomi ei dilynwyr.

Nid oedd Morfudd yn gyfforddus o feddwl am ddeunydd o'r fath yn cael ei ffilmio o dan ei tho ond fe'i hymlaciwyd gan y gwin ac roedd plesio Dyddgu yn bwysig iddi.

"Gei di iwsho'r stafell wely sbâr," meddai. "Mond am tro 'ma."

"Diolch. Sori am orfod gofyn."

Eisteddodd Morfudd yn yr ystafell haul wrth i Dyddgu baratoi ar gyfer y ffilmio.

Daliodd Morfudd y lleuad yn sbecian arni drwy'r ffenest yn y to a daeth chwerthin isel o'i chrombil. Sut fyddai Dafydd wedi ymateb o wybod beth oedd ar fin digwydd? Gwenodd y lleuad yn slei.

Daeth sŵn traed i lawr y grisiau.

"Sgin i ddim cwilydd o be dwi'n neud. Ma fyny i chdi os tisho gweld fi'n gneud job fi. Gei di neud meddwl chdi fyny wedyn," meddai Dyddgu gan osod cyfarwyddiadau ar sut i'w gwylio ar damaid o bapur ar y bwrdd.

Tywalltodd Morfudd win arall i'w gwydr a syllu ar ei ffôn. Gwyliodd y sgrin wag am rai munudau cyn pwyso'r botymau i agor byd oedd wedi bod dan glo cyhyd.

Rhyfeddodd at ffordd Dyddgu o siarad efo'i chynulleidfa a'u denu i'w gwe. Wrth i niferoedd y gwylwyr gynyddu yn y bocs ar y sgrin roedd D.D. yn ymddwyn yn fwy rhywiol a pheryglus. Dinoethodd yn awgrymog a chyfeirio at ambell enw wrth iddynt ymuno â'i sioe. Gwyddai'n union sut i'w cyffroi. Edrychodd i mewn i lens y camera a gadael i'w bysedd grwydro i gyffwrdd ei hun. Gafaelodd yn ei bronnau caled a'u cynnig fel offrwm i bob un oedd ar ochr arall y sgrin. "It's such a nice feeling," meddai bob hyn a hyn cyn gollwng ochenaid o bleser pur.

"Let's go further together," pryfociodd a'u harwain gerfydd ei llaw yn ddyfnach i'w ffantasi. Rhedodd ei bysedd yn araf i'r llefydd oedd yn cynddeiriogi'r cyrff eiddgar a dalai am y fraint o gyrraedd eu nefoedd gyda'i gilydd fel un.

Synnodd Morfudd o weld nad oedd hi'n ffieiddio. Roedd ei chorff hithau yn teimlo ffrwydradau bychain yn rhedeg yn ysgafn o dan y croen. Cymysgodd y gwin y delweddau yn ei phen a'u gyrru allan yn un candi fflos meddal drwy ei gwaed. Roedd gwybod bod hyn yn digwydd o dan ei tho yn ei chyffroi.

Wrth deimlo'i hun yn cael ei thynnu i mewn, pwysodd y botwm coch i adael. Doedd hi ddim yn barod i weld munudau olaf y sioe. Roedd y gwin a'r tabledi newydd wedi llacio ei meddwl. Gwthiodd y ffôn i ochr arall y bwrdd a cheryddu ei hun am wylio Dyddgu yn y fath fodd.

O fewn munudau roedd Dyddgu yn sefyll yn nrws yr ystafell haul.

"Fi oedd *in control*," meddai. "Nest di sylwi?"

Ni atebodd Morfudd.

"Gei di ddeud bo chdi wedi sbio. Dio'm yn rong i neud."

"Oeddat ti'n teimlo rwbath, Dyddgu?" gofynnodd Morfudd.

"Na. Ond o'n i yn mwynhau. Dim mwynhau'r *sex thing* ella ond mwynhau bod *in control* a gwbod bo fi'n dda yn be dwi'n neud."

Wrth ei gweld yn tynnu ei cholur efo'r rholyn papur cegin, yn un bwndel o onestrwydd a ffaeleddau, meddyliodd Morfudd am Mali. Roedd bywyd honno mor hawdd.

*

Roedd y sgwrs efo'i mam wedi cadarnhau i Mali bod hadau bach wedi eu plannu yn ei thad yn ystod eu perthynas. Roedd hi'n anodd credu nad oedd hi wedi sylwi ar unrhyw arwyddion yn ei berthynas efo Morfudd heblaw am ambell ffrae.

Cyn camu i'r gwely aeth at ei ffôn i weld a oedd ateb o Wlad Pwyl. Roedd neges yn disgwyl amdani.

Roedd hi'n neges hir a eglurai faint o feddwl oedd gan Lena o fam Morfudd ac mai salwch ei mam hithau oedd yr unig reswm iddi orfod gadael ei swydd. Enwodd weithwyr eraill a oedd wedi bod mor garedig â'i chroesawu i'r gymuned glos roedd wedi gobeithio dod yn ôl iddi, ond bod y newidiadau Brecsit wedi chwalu ei chynlluniau. Dim ond yn y paragraff olaf y cyfeiriai at y noson y bu farw tad Mali.

Oherwydd ei bod wedi gadael am Wlad Pwyl ychydig o ddyddiau wedi i dad Mali farw, dim ond brith gof oedd ganddi o glywed am ei farwolaeth. Roedd ganddi un manylyn a allai fod o ddiddordeb.

Sychu ei gwallt oedd Rhian pan neidiodd Mali i'w hystafell.

"Dwi'm yn meddwl fydda i'n gallu cysgu heno. Mae Lena wedi ateb."

Gafaelodd Rhian yn y ffôn a darllen y neges a eglurodd bod Lena yn golchi sil y ffenest ar ddiwedd ei shifft oherwydd bod tamaid o fwd arni. Roedd wedi tybio bod planhigyn wedi ei symud ond doedd gan fam Morfudd ddim planhigion. Cofiodd hyn gan iddo arwain at sgwrs hir am alergeddau a pham nad oedd yn hoffi unrhyw dyfiant yn ei hystafell.

"Ôl troed mwdlyd oedd hwnna. Mi aeth Morfudd drwy'r ffenast, Mam," meddai Mali wrth i Rhian ailedrych ar y geiriau o'i blaen.

"Dan ni ddim yn gwbod hynny, cariad," meddai Rhian yn chwilio am ystyr arall y tu ôl i'r geiriau. "Allwn ni ddim damcaniaethu fel hyn."

Gwyddai'r ddwy fod tystiolaeth fel hyn yn ffrwydrol.

*

Roedd digwyddiadau swreal y diwrnod yn gymysg ag alcohol a'r cyffuriau wedi ymlacio'r weddw ifanc. Chwarddodd Morfudd wrth weld y ferch ifanc feddw o'i blaen.

"Be sy?" gofynnodd Dyddgu.

"Ma hyn yn wyyyyych!" gwaeddodd. "Dwi'n rhyyyydd a dwisho bod yn noeth! Tyrd i ddawnsio."

Llusgodd Dyddgu ar ei thraed. Llanwodd yr ystafell â chaneuon Gwenno ac Anni.

"Blydi hel, ti angen gwers mewn miwsig da. Chydig o *dirty drum and base* tisho, hogan. *Get some vibes in you, girl*!" meddai Dyddgu yn siglo at y chwaraewr.

Dewisodd ei chân. Pwmpiodd y bas araf o'r peiriant wrth i Morfudd symud fel dawnsiwr i bob bît. Roedd ei choesau'n cael eu gwefreiddio a'i breichiau'n ffurfio eu siapiau uwch ei phen. Caledodd ei bronnau wrth iddi godi ei siwmper i ddatgelu crys T bychan gwyn. "*Baby, I commend it*!" canodd efo'r gerddoriaeth.

"Mori! Mae gen ti *mooooooves*!"

"*Yeah, baby*!" gwaeddodd hithau. "Rho'r miwsig yn UWCH!"

Llifodd y gerddoriaeth drwy'r seinyddion. Caeodd Morfudd ei llygaid er mwyn cael ei chario ar y curiadau. Yn gynt. Yn gryfach ac yn ddyfnach. Symudodd y ddwy fel dwy lewes a'r gwin wedi cael gafael yn dynn am eu gwar.

Peidiodd y gân.

"Dwi'n mynd allan i'r nos!" gwaeddodd Morfudd a lluchio'r drysau ar agor i redeg i'r ardd. Tasgodd y gwin o'r gwydr wrth iddi lamu dros y gwrych ac i'r cae o flaen y tŷ. Chwifiodd ei breichiau at y lleuad gan ddatgan ei chariad dwfn.

"*Baby, I commend it*!" gwaeddai'n uwch a'i bronnau gwyn yn goleuo dan y belen fawr uwch ei phen.

Gwyliodd Dyddgu hi'n llamu'n fronnoeth o un pen i'r cae i'r llall a rhedeg yn gynt a chynt wrth i'r plentyn llawn gobaith o'i mewn ei harwain o gwmpas y nos.

"Dim chdi'n unig sy'n licio bod heb ddillad!" gwaeddodd.

Wrth wylio'r ddynes noeth yng ngolau'r lleuad sylweddolodd Dyddgu nad oedd hi'n deall sut y daeth i fod yno. Roedd y gwin wedi cael gafael ar ei hymennydd a'r ddelwedd yn y pellter yn gwneud iddi deimlo'n simsan. Roedd wedi dod yno i ofalu amdani ac i gynnig cysur, nid i feddwi a'i chyflwyno i'w byd dadleuol hi. Roedd dangos eu cyrff i'w gilydd wedi prin ddyddiau o gyfarfod yn creu dryswch a llawenydd ar yr un pryd. Roedd ysbryd hon wedi cael gafael arni.

Daeth pwl o awel i ddawnsio dros gorff noeth Morfudd a suddodd yr oerni i'w hesgyrn fel y gwnâi ar ôl i Dafydd ei gadael yn noeth ar y gwely. Teimlodd y cryndod yn tyfu yn ei choesau a daeth y trymder i bwyso ar ei hysgwyddau gwyn.

Sylwodd Dyddgu ar y newid yn ei chorff ac aeth ati efo'r garthen frethyn yn ei llaw.

"Be sy'n bod, Mori?"

"Bob dim," atebodd gan dynnu'r flanced yn dynn o'i chwmpas.

Rhoddodd Dyddgu hi i eistedd ar y soffa.

"Ro'n i wrth fy modd yn bod yn noeth o dan y lleuad tan iddo fo..."

Gwrandawodd Dyddgu wrth i Morfudd agor cil y drws ar orffennol a gladdwyd mor ddwfn.

Daeth yr atgofion chwil yn un llith o'i cheg wrth iddi ddisgrifio'r bychanu a'r gwawdio a ddioddefodd gan ddyn oedd wedi mynnu ei chael hi. Roedd y deunaw mis cyntaf wedi bod yn hapus iawn a hithau wedi gwirioni ar gael byw efo'r un yr oedd hi wedi ei addoli o bell ers cyhyd. Roedd wedi ei chanmol a'i haddoli a thyfodd ei hyder wrth iddi sylweddoli mai hi oedd ei fyd.

Rhoddodd y cariad yma yr angor a grefai ers ei bod yn

blentyn iddi. Wrth i'w hyder ddatblygu, fe bylodd ei swildod ac er i Dafydd ei phoenydio am greulondeb geiriol rhai o ferched yr ardal amdani, fe wnaeth ambell ffrind. Cofiodd y tro cyntaf iddo droi arni am ddod adre'n hwyr wedi noson yn y dref. Fe'i galwodd yn hwran a tharo'r wal efo'i ddwrn. Er nad oedd wedi ei tharo un waith, roedd y bygythiad parhaus yn ddigon i'w chadw yn ei lle.

Hyd yn oed pan yr âi o ar ei dripiau rygbi a'i gynadleddau byddai'n ei ffonio i wybod ble'r oedd hi. Dyna pryd y dechreuodd hithau wylio pobl eraill. Teimlai'n well o weld mai byw celwydd oedd pawb.

"Wyt ti'n gaddo i mi 'nei di ddim gadael i Charlie neud hyn i chdi," meddai.

"Dio ddim mor ddrwg â hynna, sdi," atebodd.

"Doedd Dafydd ddim ar y dechrau chwaith. Rhaid i chdi edrych ar ôl dy hun. Gaddo?"

"Gaddo."

Aeth Morfudd yn ei blaen i ddweud wrthi am y cyffuriau a'r merched ysbeidiol a'r ffordd y gwyddai'n syth pan fyddai'n anffyddlon. Roedd ei lygaid yn fwy caredig a byw.

"Ryw betha bach gwirion o'r swyddfa yn Gaernarfon neu wragedd *bored* mewn cynadleddau oedd y rhan fwya. O'n i'n diolch amdanyn nhw weithia. Oedd o'n golygu 'mod i'm yn gorfod cysgu efo fo. Ond mi nath yr un ola fy nhorri fi go iawn."

"Pam?" gofynnodd Dyddgu.

"Mi dduda'i wrthat ti rywbryd eto," meddai. "Rhaid i mi fynd i fyny. Mae 'mhen i'n troi."

Yr oedd pobl wedi ei siomi a cheisio ei thorri ond roedd yn dal yn dynn i'r atgof o pwy oedd yn llechu y tu mewn. Wrth roi ei phen simsan ar y gobennydd, daeth yr atgof i'w llethu.

Cofiodd y boen o agor drws ei llofft i weld ei gŵr yn chwysu a'i gorff wedi lapio'n dynn o'i chwmpas hi. Ei gyn-wraig.

Roedd y darlun creulon wedi bod yn friw cyhyd. Daeth yr hen ysfa drosti i dynnu gwaed o'i breichiau ond gwyddai heno fod ganddi ffrind y tu draw i'r drws.

Doedd ganddi ddim un i'w dal y prynhawn dieflig hwnnw. Doedd neb yno i ddweud wrthi mai nid hi oedd ar fai.

Wedi i Rhian daflu ei dillad amdani a rhedeg drwy'r drws roedd o wedi sefyll uwch ei phen wrth iddi udo ar lawr y gegin.

"Coda ar dy draed," gorchmynnodd.

Ond ni allai godi. Roedd ei chorff yn drwm a phob gewyn wedi ei hoelio i'r pren oddi tani.

"Pam?" gwaeddodd. "A finna 'di gneud bob dim oeddat ti isho."

"Bob dim o'n i isho?" meddai gan afael yn ei braich a'i thynnu i fyny'n frwnt tuag ato cyn gwasgu ei llaw a'i llusgo i'r ystafell fyw.

Doedd hi'n cofio dim am gael ei lluchio ar y soffa. Syllodd yn hir ar y carped patrymog oddi tani gan wybod ei fod y tu mewn iddi. Theimlodd hi ddim. Roedd teimlo yn atgof pell.

"Ti'n gael o'n rwla arall dwi'n gwbod," meddai gan blannu ei fysedd yn ei hysgwyddau.

Wnaeth hi ddim ymateb ond gwyddai mai dyna'r tro olaf iddi beidio â gwneud dim.

*

Pan ddeffrôdd Morfudd roedd ei gwddf wedi cloi a gwewyr yn rhedeg i lawr ei braich dde. Wrth geisio codi ei phen ac estyn am y dŵr, roedd un o'r cyhyrau yn tynhau ac yn ei thynnu yn ôl i lawr i'r glustog. Cofiodd am leuad llawn yn disgleirio ar ei bronnau noeth.

Trodd waelod ei chorff at y nenfwd gan obeithio y deuai ei phen a'i gwddf i'w dilyn. Gorweddai fel delw ac edrych i fyny ar do oedd yn mynnu arddangos pytiau o greadigrwydd y nos. Daeth geiriau'r gân i ddrymio ar ei phenglog cyn i sleidiau'r sioe boenydio taflunydd ei chof. Plannodd ei phen o dan ei chlustog.

Clywodd Dyddgu yn taflu i fyny yn y tŷ bach ar draws y coridor.

A oedd hi'n fore neu brynhawn? O weld yr awyr drwy'r ffenest gwyddai fod y rhan fwyaf o'r bore wedi ei gadael.

Doedd Dyddgu erioed wedi teimlo mor ddrwg wedi noson o yfed. Nid gwin oedd ei diod hi. Roedd yn gallu yfed cwrw a jin tan ddydd y farn ond roedd yr hylif gwyn a oedd wedi llifo mor rhwydd neithiwr wedi gwenwyno ei chorff. Er hynny, aeth i lawr i'r gegin i baratoi brecwast.

"Coffi yn barod i chdi, Mori!" gwaeddodd.

Roedd edrych i fyw llygaid Dyddgu yn teimlo'n anodd i Morfudd yng ngolau dydd.

"Dwi 'di bod yn meddwl. *Addiction* ydi lot ohono fo, sdi," meddai Dyddgu cyn i Morfudd allu yngan bore da.

"I be?"

"Dynion. Dwi 'di trio cael gwarad o Charlie gymaint ond mae 'na rwbath mae o'n ddeud yn neud i fi aros efo fo bob tro. Fatha *addiction*."

"Ma'n nhw'n gallu bod yn glyfar fel'na," meddai Morfudd.

"Ti'n meddwl? Dwi'm yn meddwl bo Charlie yn glyfar, 'de."

"Dwi'n eitha siŵr bod o'n gwbod be ma'n neud. Ma'n gwbod yn iawn sut i dy gael di i aros."

"Mae o'n gwbod sut i sbio arna fi withia. Ma calon fi'n mynd yn mwsh pan mae o'n deud sori. Mae pen fi'n deud 'na' ond wedyn ma calon fi wedi heijacio pen fi a mai'n *game over*!"

"Da ydyn nhw am ddeud sori," meddai Morfudd.

"Oedd Dafydd fel'na hefyd ma siŵr, oedd?"

"'Sori' oedd un o'i hoff eiria fo ar y dechra. Crio hefyd weithia jest i roi tsheran ar betha."

"Ffycin wancar."

Gwenodd Morfudd. "Ia, 'de."

Roedd Dyddgu yn dweud y gwir fel arfer. Roedd wedi rheoli ei meddwl a'i chorff am dros dair blynedd ar ddeg. Roedd wedi ei chyflyru i ymddwyn fel roedd o am iddi ymddwyn ac wedi ei gwthio i eithaf na allai ddianc rhagddo. Gwenwyno araf oedd beth a wnaeth.

"Reit. Dwi'n mynd i neud brecwast sydyn wedyn fydd raid fi fynd. Mae o 'di ffonio tua deg o withia bora 'ma. Ma'n mynd yn nyts."

"Plis bydd yn ofalus."

"Mi fydda'i sdi. Dio ddim mor ddrwg â Gavin."

"Nid dyna ydi'r llinyn mesur."

Gwenodd Dyddgu.

"Reit, dwi'n mynd. Fydda i'n ôl mewn chydig ddyddia. Dwi'n sori bo chdi 'di cael amsar *shit* ond sdi be, dio ddim yma rŵan felly ma'n amser i chdi fod yn chdi eto."

Gwridodd Morfudd wrth glywed ei geiriau. Doedd neb wedi dweud rhywbeth mor glên wrthi ers blynyddoedd. Stopiodd Dyddgu yng nghanol y coridor a throi ati gan godi ei bys megis athrawes ysgol Sul.

"Paid â mynd i neud dy ben i mewn am betha. Dwi ddim yn mynd i boeni bo chdi 'di gweld fi'n gneud job fi felly paid â troi *nudity* chdi yn rwbath dio ddim. Mae 'na *connection weird* rhyngtha ni. *End of.*"

Clywodd y car yn sgrialu i lawr y lôn fach yng nghefn y tŷ.

Ni fyddai'r awydd i wylio pobl eraill drwy ei ffenestri yn ei chipio fel y gwnâi fel arfer. Roedd hi'n grediniol y gallai eistedd efo'i meddyliau heno.

*

Roedd Mali wedi bod yn brwydro'n erbyn ei hawch i fynd i siarad efo Morfudd. Casglodd bob tamaid o wybodaeth nes bod ganddi ddigon o fanylion i allu creu'r darlun llawnaf posib cyn mentro i'r tŷ. Er nad oedd wedi gallu ei charu go iawn, roedd wedi bod yn rhan o'i bywyd erioed. Roedd meddwl nad oedd ei thad yn fyw o'i herwydd yn syniad y tu hwnt i'w dirnadaeth. Ond roedd meddwl am beth a phwy oedd o go iawn yn ei rhwygo'n ddau.

Gwyliodd ei mam yn pacio yn y bore. Er bod Rhian wedi cynnig canslo ei threfniadau, roedd Mali wedi mynnu ei bod yn mynd at Tom. Dim ond am un noson fyddai hi i ffwrdd. Doedd ei mam a Tom ddim yn gweld ei gilydd yn aml ac roedd ei gweld yn hapus yn golygu popeth iddi.

Penderfynodd Rhian i fod yn onest cyn mynd. Byddai'r amser ar wahân yn rhoi cyfle i Mali brosesu'r wybodaeth cyn iddi ddod adref. Doedd hi ddim yn hapus ei bod am gymhlethu ei sefyllfa ond roedd yn hanfodol ei bod yn cael y manylion i gyd.

"Dwisho gair efo chdi am rwbath reit sensitif. Stedda ar y gadar gornal i mi gael dy weld di'n iawn."

"Dim *bombshell* arall, plis. Alla'i ddim côpio efo dim byd arall."

"Dwi'n meddwl bod hyn yn bwysig i chdi gael gwbod a dwi'n sori mod i ddim 'di deud yn gynt ond dio ddim y peth hawsa i gyfadde."

Eisteddodd Mali a gwrando ar ei mam yn dechrau egluro'n nerfus am y berthynas rhyngddi hi a'i chyn-ŵr dros y blynyddoedd a sut y bu iddynt ailgynnau pethau'n rhywiol tua blwyddyn a hanner cyn iddo farw. Synnodd wrth ei chlywed yn dweud ei bod yn hollol ymwybodol na ddylai fod wedi mynd yn agos ato ar ôl iddo dorri ei chalon yn y fath fodd. Nid talu'r pwyth yn ôl oedd ei bwriad ond cyfaddefodd ei bod wedi cael boddhad tawel o wybod mai yn ôl ati hi y daeth o.

Trafod problemau meddyliol Morfudd oedd pwrpas Dafydd wrth ddod draw ar y dechrau. Sylweddolodd bellach mor glyfar oedd o wrth fychanu un drwy glodfori'r llall. Roedd wedi paentio darlun gwallgof o'i wraig ac roedd hithau wedi teimlo trueni drosto. Bu'n glust ac yn gefn iddo wrth iddo geisio delio efo problemau Morfudd. Oherwydd ei phrysurdeb hithau, roedd rhywbeth fel hyn yn ei siwtio. Roedd dros ddegawd o beidio â chael ei charu wedi ei gwneud yn sychedig am sylw ac roedd Dafydd yn gwybod yn iawn sut i ddiwallu'r syched hwnnw.

Dechreuodd wneud esgusion am fynd i gynadleddau a chyfarfodydd a chan nad oedd Mali adref mor aml bryd hynny roedd pethau'n hawdd. Tan yr un prynhawn hwnnw. Doedd hi'n dal ddim yn gallu credu iddi gael ei pherswadio i fynd i wely priodasol ei chyn-ŵr.

Breuddwyd fawr Mali am flynyddoedd oedd bod ei mam a'i thad yn adfer eu perthynas. Roedd clywed am hyn yn nghyd-destun y digwyddiadau diweddaraf yn ei gwneud yn flin.

Rhedodd Mali allan o'r ystafell wely. Roedd ei bywyd yn breuo o'i chwmpas. Sut nad oedd hi wedi amau? Oedd hi wedi ymgolli gymaint yn ei gyrfa nes mynd yn hollol ddall i ymddygiad pawb o'i chwmpas? Roedd pob un wedi cyfrannu at y dinistr oedd yn datgelu ei hun yn raddol o'i blaen.

"Ga'i ddod mewn plis?" gofynnodd Rhian wedi sefyll y tu allan i'w drws am rai munudau.

"Dwisho llonydd, sori."

"Ond cariad, dwisho egluro a thrafod yn iawn efo chdi."

"Paid â poeni, 'na i'm gadael i chdi fynd i Dorset heb ddeud ta-ta, ond fel dudish i, llonydd dwi isho rŵan. Nos da."

"Nos da."

Doedd Mali'n deall dim am ddim bellach. Sut oedd oedolion yn gallu dinistrio ei gilydd fel hyn? Sut nad oedd hi wedi gallu gweld bod ei mam a'i thad wedi syrthio mewn cariad ar ôl yr holl flynyddoedd? Os mai dyna'r gair amdano.

Doedd hi ddim wedi disgwyl teimlo gymaint o drueni dros Morfudd.

*

Doedd pethau ddim wedi bod yn rhy ddrwg rhwng Dyddgu a Charlie ar y nos Sul, yn ôl y neges. Gobeithiodd Morfudd ei bod yn dweud y gwir.

Roedd syniad cyffrous yn egino. Doedd hi ddim wedi gallu peidio â meddwl am mor agored a phenderfynol oedd Dyddgu am ei menter newydd. Roedd y ferch ifanc yn ystyried y diwydiant rhyw fel opsiwn gwirioneddol i greu dyfodol gwell i'w hun a doedd Morfudd ddim yn ffieiddio at y syniad er mawr syndod iddi.

Parchai ei mentergarwch a'r modd y perchnogai ei sefyllfa ei hun. Doedd hi'n sicr ddim yn mynd i allu ei hatal rhag sefydlu busnes o'r fath felly oni fyddai ei chynorthwyo yn opsiwn buddiol i bawb?

Roedd y tŷ mor wag. Byddai sefydlu stiwdio iddi yn yr ystafell sbâr yn gwneud synnwyr. Roedd yn fodd o'i chadw hi'n agos a diogel. Gwrandawodd arni'n siarad am y noson yr ymosododd yr hogyn clên arni yn y dafarn. Roedd wedi ei galw'n bob enw dan haul am fynd â'i fêt i'r llys cyn pwyso dros y bar a cheisio llyfu ei hwyneb.

"Dwi'n gwbod bo chdi'n gwbod be dan ni'n licio. Dwi 'di bod yn sbio arna chdi," oedd ei eiriau. Ei benio oedd yr unig ffordd iddi ryddhau ei hun. Roedd perchennog y dafarn wedi ochri efo fo.

Byddai teithio i Ddolgellau a defnyddio ei thŷ hi fel safle gwaith yn datrys gymaint o broblemau. Byddai'n ffordd o gadw pellter rhyngddi hi a'i chymdogion heb orfod meddwl am gostau ychwanegol o dalu am stiwdio addas. Mali oedd yr unig rwystr.

Eisteddodd ar y gwely yn yr ystafell sbâr. Roedd popeth angenrheidiol yno. Roedd yr ystafell molchi a'r gwely pedair postyn yn gweddu a'r cyrtans llaes lliwgar yn gefnlen wych. Am y tro cyntaf ers i Dafydd farw, roedd hi'n teimlo'n gryf.

Daeth awch drosti i fynd i'w hen swyddfa i rannu'r newyddion efo fo. Taflodd y drws ar led a phlannu ei phen-ôl ar ei hen gadair a chodi ei thraed ar y ddesg. "Gesha be dwi am neud, Daf? A dwyt ti ddim yn mynd i allu fy stopio i tro 'ma."

Wrth i'w llygaid grwydro at y nenfwd sylwodd ar y gwe pry cop yng nghornel yr ystafell. Efallai nad oedd Dyddgu yn lanhawraig mor dda â Jano ond roedd ganddi gymaint mwy i'w gynnig iddi. Arhosodd ei llygaid wrth iddi sylwi ar wacter y silff dop. Arferai hon fod yn llawn o hen ffeiliau a bocsys ei gŵr. Am eiliad, daeth ias drosti ond ni allai ddeall pam.

*

Doedd Mali ddim wedi gallu cysgu drwy'r nos. Roedd wedi troi a throsi wrth feddwl am gyfrinach ei rhieni. Gwyddai fod y wybodaeth newydd yn ddarn hanfodol o'r stori enbyd a ffurfiai o'i chwmpas. Roedd hi'n casáu pob un o'r prif gymeriadau bellach. Tosturiai hefyd wrth y tri. Roeddynt wedi brifo a dinistrio ei gilydd yn eu tro.

A oedd un wedi ei thorri i'r fath raddau nes gwthio ei gŵr lawr y grisiau a chreu celwydd am beidio â bod adref ar y noson angheuol? Roedd un peth yn hollol amlwg. Doedd ei thad ddim yn ddyn da iawn. Roedd y dadrithiad yn anodd.

Clywodd ei mam yn codi yn yr ystafell wely yr ochr arall i'r wal.

"W't ti 'di codi? Ga'i ddod i mewn?" sibrydodd a'i bol yn troi.

Doedd Rhian ddim wedi cysgu winc drwy'r nos chwaith ac roedd clywed llais ei merch yn rhyddhad.

"Ty'd i mewn, cariad," meddai ac eistedd ar erchwyn y gwely.

Doedd Mali erioed wedi dychmygu teimlo mor ofnus o weld ei mam. Hyd yn oed pan gafodd ei dal yn dod i mewn yn feddw am dri o'r gloch y bore a thaflu i fyny dros ei charped newydd, doedd hi ddim wedi bod mor nerfus â hyn.

"Dwi mor sori am yr hyn o'dd rhaid i chdi glwad neithiwr, cariad," meddai Rhian wrth wylio ei merch. "Y peth dwetha dwisho neud ydi cymhlethu petha i chdi."

"Ma hi'n mynd i fod yn anodd derbyn bo chdi 'di deud celwydd. Be alla i'm ddeall ydi sut nest di allu mynd yn ôl ato fo ar ôl iddo fo chwalu dy fywyd di?"

Gwyrodd Rhian ei phen mewn cywilydd.

"Dwi ddim yn siŵr a oedd Dad yn ddyn neis," meddai Mali'n drist.

"Roedd o'n dad da, Mali. Rhaid i chdi byth anghofio hynny. Mi roedd o'n dy garu di'n fwy na dim yn y byd."

"Dwi'm yn meddwl bod o'n siŵr be oedd cariad, Mam."

Pwyllodd Mali cyn gofyn y cwestiwn oedd wedi bod yn cnoi ers y bore bach. "Naethoch chi gario mlaen i weld eich gilydd ar ôl i Morfudd eich ffeindio chi?"

Edrychodd Rhian yn hir ar ei merch heb yngan gair cyn troi ei phen i guddio'r dagrau.

"Dwi ddim yn dy feirniadu di, Mam. Wir. Dwi jest methu credu'r peth ar hyn o bryd."

"Dwi'n ffieiddio ata fy hun."

"Does 'na ddim pwynt. Ein lle ni rŵan ydi mynd at yr heddlu. Dwi'n meddwl."

Cafodd Rhian sioc o glywed nad oedd ei merch yn bendant.

Roedd Mali wedi troi'r sefyllfa yn ei phen am oriau ar y gobennydd. Roedd yr hyn a ddarganfu am ymddygiad ei thad yn torri ei chalon ond doedd o ddim yn haeddu peidio â bod ar y ddaear. Os mai Morfudd oedd yn gyfrifol am hynny, roedd hi'n haeddu cael ei chosbi. Ond doedd hi ddim yn barod i ddatguddio ffaeleddau ei rhieni wrth y byd gan wybod bod achos cryf o reolaeth gymhellol yn ffurfio yn erbyn ei thad. Byddai cael gwybod am berthynas ei rhieni cyn iddo farw yn fêl ar fysedd rhai. Ofnai y byddai ei mam yn cael ei llusgo drwy'r fagl.

"Dwi 'di hen stopio poeni am be mae pobl yn feddwl ohona'i," meddai Rhian. "Mae'r rhai agosa ata'i i gyd yn gwybod rŵan a hynny sy'n bwysig."

"I gyd?" gofynnodd Mali.

"Mond chdi a Tom. Mae o'n gwbod bob dim."

"O. Dwi'n falch drosto fo," hyrddiodd Mali'n ôl.

"Ti'n ferch i fi. Ro'n i'n trio dy amddiffyn di rhag ein llanast ni."

"Amddiffyn fi? Lot o iws nath hynna, 'de, Mam. Dos at dy gariad. Dos i ddeud bob dim wrtho fo."

Ond roedd Mali'n gandryll a doedd hi ddim eisiau ei mam yn agos ati.

*

Pan ddaeth sŵn y car bach i fyny'r lôn roedd Morfudd yn gorffen gwneud y manylion bach er mwyn darbwyllo Dyddgu o addasrwydd yr ystafell. Gosododd lampau yn y corneli a blodau wrth ymyl y gwely. Dewisodd ei gorchuddion yn ofalus. Roedd y rhai patrymog o Marks & Spencer wedi eu disodli gan rai coch ac roedd alarch gwydr a'r ffiguryn 'Kindness is Everything' wedi cymryd eu lle yn berffaith o dan un o'r lampau. Gobeithiodd nad oedd wedi mynd dros ben llestri.

"Bore da!" meddai Dyddgu wrth ei gweld yn sboncio at y drws ffrynt. "Ti'n well faswn i'n deud!"

"Dwi'n dod. Mae'r tabledi yn dechra gweithio… a mae gen i rwbath bach sy 'di codi 'nghalon i."

"O mai god. Ti'n disgwyl!" meddai Dyddgu gan chwerthin dros y lle.

"Ha! Dwi 'di bod yn meddwl lot dros y dyddia dwytha 'ma. Mae gen i gynllun da i siwtio'r ddwy ohonan ni."

Syllodd Dyddgu'n amheus.

"Paid â phoeni. Mae o'n rwbath sy'n mynd i neud dy fywyd di'n haws, gobeithio."

Wrth i Morfudd ei harwain i fyny'r grisiau, cofiodd Dyddgu am y bore diweddar pan y darganfu hi fel cadach yn y gwely.

Roedd cymaint wedi digwydd ers hynny. A oedd hi wedi closio'n ormodol at y ddynes fregus? Ni allai atal ei hun rhag cael ei denu at ei hymddygiad sgiw.

"Cau dy lygaid," meddai Morfudd wrth gyrraedd drws yr ystafell sbâr.

Diffoddodd y golau mawr gan adael golau egwan y lampau i greu eu cysgodion.

Wrth i Dyddgu agor ei llygaid fe gynnodd Morfudd y goleuadau bach a daeth eu lliwiau amryliw i ddawnsio ar y waliau.

"Blydi hel!" meddai Dyddgu wrth geisio amsugno'r olygfa.

"Blydi hel da neu blydi hel drwg?"

"Dwi'm yn siŵr eto."

"Os ti isho fo. Dyma dy stiwdio newydd di. Faswn i ddim isho ceiniog. Gei di neud be bynnag tisho efo'r lle."

Safodd Dyddgu'n fud.

"'Na'i adael chdi i fyny yma i feddwl am y peth. Mi wna'i banad. Tyrd i lawr pan ti'n barod."

Roedd adrenalin Morfudd wedi ei chadw i fynd drwy'r bore ond wrth weld wyneb cymysglyd Dyddgu roedd yn amau ei bod wedi mynd yn rhy bell fel arfer. Daeth blinder cyfarwydd drosti wrth iddi godi'r tegell cyn rhoi ei phen ar y bwrdd a chau ei llygaid. Roedd yr ysfa i daro ei hun yn tyfu y tu mewn iddi ond gafaelodd yn dynn yn ei garddwn dde ac anadlu'n ddwfn i reoli curiad ei chalon. Teimlai'r munudau fel oes wrth iddi glywed Dyddgu'n symud o gwmpas yr ystafell uwch ei phen.

"Dwi'm yn gwbod be i ddeud," meddai Dyddgu wrth gerdded i mewn i'r gegin.

"Plis deud wbath. Dwi'n teimlo'n sic. Dwi wedi dy ddychryn di?"

"Does 'na neb 'di gneud wbath mor blydi lyfli i fi erioed. Dwi'n *choked.*"

Ochneidiodd Morfudd a gadael i'r ofn lifo o'i chorff.

"Pam ti'n neud hyn i fi, ddo?"

"'Nei di byth wbod faint ti 'di newid petha i fi. Dwisho bo chdi'n cael dechrau iawn i dy fusnas newydd."

Gwyddai mai ei chadw'n ddiogel oedd ei phrif orchwyl yn y byd. Ni châi hon ei thrin fel y cafodd gan ei chyn-gariad eto. Ni châi ei datod yn raddol gan Charlie chwaith. Doedd bywyd Dyddgu ddim yn mynd i fod yn uffern. Roedd yn sicr o hynny.

Gafaelodd Dyddgu yn dynn amdani. Doedd ganddi ddim geiriau i'w rhoi.

Treuliwyd gweddill y bore yn gwneud trefniadau a thrafod manylion gyda Dyddgu'n egluro mwy am y busnes a'r byd a oedd mor anghyfarwydd i Morfudd.

"Dwi'n gneud hyn i neud pres go iawn, nid ceinioga," meddai Dyddgu. "Mond y dechra 'di gneud y gwaith Camio. Dwisho adeiladu busnas iawn. Alla i neud miloedd mewn mis os 'na'i weithio ddigon calad."

Gwrandawodd hithau'n astud. 'Camio' oedd y cam cyntaf fel arfer i gychwyn gyrfa yn y diwydiant porn. Roedd merched yn ffilmio eu hunain ar eu pennau eu hunain gan adeiladu dilynwyr cyson i dalu am eu hamser. Daeth i ddeall hoffter Dyddgu o gael ei gwylio a'r ffordd roedd cymaint o ddynion yn cysylltu i ofyn iddi wneud pethau rhyfedd a gwirion. Er hynny, roedd yn ymwybodol iawn o'i ffiniau.

"Jest isho gweld traed fi tra dwi'n neud y busnas ma un dyn. Ac ma 'na un arall sy jest isho siarad."

"Does 'na'm ffordd i neb ddod i wybod am dy leoliad di, nagoes?" gofynnodd Morfudd.

"O god na. Mae *privacy* a *security*'n beth mawr. Dwi'n hollol saff. Wir."

Eglurodd Dyddgu mai ei breuddwyd oedd datblygu Stiwdio Porn sefydlog oedd yn cyflogi merched i weithio y tu ôl i'r camera, yn cynllunio'r setiau ac yn goleuo.

Llamodd calon Morfudd wrth weld faint y golygai hyn i Dyddgu. Roedd hithau'n gwneud gwahaniaeth am y tro cyntaf erioed heb neb i'w hatal. Byth ers i Kerry Short golli ei brwydr fe addawodd i'w hun nad ystadegyn arall fyddai hi. Cafodd wared o'r presenoldeb a'i dinistriodd yn araf bach. Cyfrannu at ddyfodol merch ifanc a sicrhau na châi ei siomi oedd ei phwrpas yn y byd. Roedd wedi darganfod ei lle.

"Well i mi neud chydig o llnau, yndi!" meddai Dyddgu wedi orig o greu breuddwydion. "Dwi angan bob ceiniog *extra* i brynu'r *equipment* gora un os dwi'n mynd i fod yn gweithio mewn stiwdio posh!"

Roedd un peth yn poeni Morfudd. Ymateb Charlie.

Penderfynwyd peidio â dweud wrtho'n syth gan feddwl am ffordd o gyflwyno'r syniad yn raddol. Gwyddai'r ddwy beth ddylai Dyddgu wneud. Ond nid gorchwyl hawdd oedd cael gwared o ddynion o'i fath.

*

Wedi i'w mam adael am Dorset ac i Mali addo y byddai'n iawn wedi iddi gael amser i brosesu pethau, roedd hi'n barod i fynd i weld Jano eto. Doedd hi ddim wedi bod mewn cysylltiad ers dyddiau. Roedd wedi siarsio Jano i beidio â mynd i weld Morfudd a gobeithiai ei bod wedi ufuddhau.

Trefnodd i'w chyfarfod ar bont Llanelltud. Dyma oedd un o'i hoff lefydd pan y deuai yn ôl i'w hen gartref. Roedd y dŵr mor glir wrth lifo o dan y bwâu cerrig ac Abaty Cymer o'i blaen yn ei hatgoffa o hen hanes yr ardal.

Cyrhaeddodd yn gynnar er mwyn gallu lluchio canghennau bychan i'r dŵr a'u dilyn wrth iddynt nofio oddi tani ac i lawr y Fawddach ar eu taith. Cofiai gerdded dros y bont yma droeon a chroesi'r lôn am y llwybr yr arferai ei choesau bach ei gasáu.

Eisteddodd ar y wal a chau ei llygaid.

"Iesu! Jest i mi lychu'n nics pan ddudist di fanma!" meddai'r llais cyfarwydd o ochr arall y bont. "Jest yn y sbotyn 'na'n fanna gollish i'n *virginity*!"

Pwyntiodd Jano at y tamaid glaswellt i'r chwith o un o'r bwâu. Sgrechiodd Mali dros bob man a chwerthin nes oedd yn ei dyblau. "Paid, ne fydda i 'di glychu'n nics 'fyd!"

"Pan glywi di efo pwy, fyddi di'n socian!" gwaeddodd Jano.

"O pwy... plis. Pliiis, Jano... Deud!"

"Ia? Tisho?"

"Oes!"

"Ti'n siŵr?"

"Yndwwww!"

"Hollol siŵr?!"

"Yndw, medda fi!"

"OK, dy dad, siŵr dduw!"

"Be?!"

"Wir i ti!"

Dawnsiodd Mali ar y bont mewn anghrediniaeth lwyr wrth iddi fwynhau'r foment fechan rydd.

"Do'n i rioed yn gwbod hynna," meddai'n ceisio sadio.

"Fasa fo'm 'di rhannu honna 'fo chdi siŵr dduw!" chwarddodd Jano.

"Nath o ddigwydd lot 'lly?"

"Rarglwydd naddo. Un Waith. *Sixteen*. *Pissed* gachu. 'Sa fo'm 'di sbio arna fi heblaw am y Thunderbird a'r Diamond White."

Mwynhaodd y ddwy y foment i'r eithaf gan anghofio'n llwyr am bwrpas y sgwrs. Gafaelodd Mali ym mraich Jano a'i harwain am dro.

"Gododd hynna chydig ar dy galon di, 'do!" meddai Jano gan wasgu ei llaw. "Ty'd fforma wir. Dwi'm isho siarad efo chdi efo'r llunia yna'n fflachio o 'mlaen i!"

Wrth gerdded a'u breichiau yn glwm, fe ddaethon nhw at y fynwent lle'r oedd Dafydd wedi ei gladdu. Eisteddont ar y fainc gyferbyn â giât yr eglwys gan wybod mai yma y byddai'r sgwrs yn newid ei blas.

"Ma hi 'di bod yn anodd uffernol peidio mynd draw yna i roi llond ceg iddi," meddai Jano a'r rhwystredigaeth yn amlwg yn ei llais.

"Dwi'n gwbod. Dwi am fynd yno. Er bod Mam 'di deud wrtha'i beidio, dwi'n meddwl bod hi'n amser i mi siarad efo hi wynab yn wynab. O'n i isho i chi wbod mod i'n gneud hyn a mod i'n mynd i sôn bod 'na rywun wedi gweld person ar y llwybr y noson honno. Jest i weld sut neith hi ymateb."

"Tisho i mi ddod efo chdi?"

Bu bron i Mali dagu wrth feddwl am Jano yn sefyll wrth ei hochr yn porthi ac yn gwneud sefyllfa ddifrifol yn waeth. Diolchodd am y cynnig a dweud ei bod yn ddyletswydd arni i fynd yno ar ei phen ei hun.

"Bydd yn ofalus," meddai Jano a'i llygaid yn agor hyd eithaf eu gallu.

"Jano. Dan ni'm yn gwybod dim byd eto. Cofia hynny. Trio casglu gymaint o wybodaeth dan ni rŵan."

"Stopia siarad fatha blydi *solicitor*. A stopia fod mor galad.

Efo fi ti'n siarad rŵan. Dwi 'di sychu dy din di a dal dy wallt di wrth i chdi chwdu so gad y *bullshit.*"

Syllodd Mali tuag at fedd ei thad a theimlo ei gwefus waelod yn ildio wrth iddi deimlo llaw fach Jano yn llithro i'w llaw.

"Plis paid â bod yn neis efo fi, Jan," meddai gan dynnu i ffwrdd. "Dwi jest abówt yn dal petha at ei gilydd. Mae 'mywyd i'n chwalu o 'nghwmpas i."

Tynnodd Jano ei llaw i lawr ac eistedd yn dawel wrth ei hochr nes ei bod yn barod i siarad.

Roedd Mali'n grediniol y byddai Jano wedi sylwi ar bethau dros y blynyddoedd a fyddai'n egluro mwy wrthi am berthynas Morfudd a'i thad. Siawns ei bod wedi bod yn dyst i ffraeo mawr ac awyrgylch drwg yn y tŷ. Ond roedd hefyd yn ymwybodol mor agos oedd Jano a'i thad. Roedd cael eu magu efo'i gilydd yng nghefn gwlad a'r ffordd roedd rhieni ei thad wedi edrych ar ôl teulu Jano dros y blynyddoedd wedi creu llinyn tyn iawn rhyngddynt.

Erbyn meddwl, roedd Mali wedi bod yn dyst i gleber lled ddilornus rhwng y ddau wrth iddynt siarad efo Morfudd. Cymrodd mai hwyl diniwed oedd eu gemau bach plentynnaidd o gwmpas y tŷ, wrth guddio ei goriadau neu ddiffodd y golau pan oedd yn y gawod, ond roedd pethau'n wahanol rŵan. Teimlodd yn ffŵl wrth gofio sut y llawenhaodd bod ei mam a'i thad yn cyfathrebu'n well erbyn y diwedd.

"Ti'n meddwl bod Mam a Dad yn ffrindia cyn i Dad farw?" mentrodd Mali.

"Oeddan. Dwi'n meddwl bod dy fam wedi madda a bod dy dad wedi gweld y *mess* o'dd o 'di neud. Gath pawb gymaint o sioc pan nath o adael dy fam – doctor biwtiffwl odd gin bawb feddwl y byd ohoni... i fynd efo *sectretary* bach *thick* o Gaernarfon."

"Jano! Ti'n deud petha uffernol."

"Ond ma'n wir, Mals. Wa'th mi fod yn onast ddim. Ma pawb yn gwbod am ei hantics hi a'r ffordd 'di'm yn siarad efo pobol. Dan ni rioed 'di bod ddigon da iddi, naddo."

"Ti'n meddwl bod gan Dad rwbath i neud efo'r ffaith bod hi'm yn siarad efo pobl?"

"Paid â bod yn wirion. O'dd dy dad yn cael lle y diawl efo hi a'i dramatics. Cerddad allan o'r tŷ yn y nos a'r holl *visits* i'r sbyty meddwl. Dwi'm yn gwbod sut nath o côpio wir."

Roedd Mali'n edmygu ei theyrngarwch ond yn tybio ei bod hithau wedi ei swyno a'i thwyllo dros y blynyddoedd hefyd.

*

Doedd Morfudd ddim yn adnabod y ddynes yn y drych. Roedd yr un a syllai'n ôl o'r un maint a phryd a gwedd ond yn sicr nid oedd yn teimlo fel hi. Doedd hi ddim wedi ceryddu ei hun unwaith nac wedi cael ei denu i roi slaes i'w boch. Gwenodd ac anadlu'n llyfn. "Bore da, Mori," meddai wrth iddi gerdded heibio ar ei ffordd i wneud brecwast.

Ond hi oedd hi. Roedd wedi mynd i wylio yn y cysgodion neithiwr. Mynd i ffarwelio wnaeth hi. Roedd am wneud yn siŵr bod Heledd Ty'n Ffridd yn dal yn byw bywyd trist a bod cydwybod ei charwr yn ei fwyta'n fyw wrth iddo ddarllen stori nosweithiol i'w efeilliaid blwydd oed. Roedd am weld Lisa Fawddach Fach yn ei bynglo ger y dŵr yn dweud nos da wrth ei chariad ifanc cyn iddo sleifio'n ôl at ei rieni i'r Fawddach Fawr. Roedd hi wedi gwenu wrth sbecian drwy ffenest y sgotwr a gweld hogyn del ar ei soffa glyd.

Cau pen y mwdwl wnaeth hi. Eisteddodd ar fedd Dafydd ac agor ei fflasg a chodi gwydrad o'r gwin coch drud. Gorweddodd am ennyd dros ei gorff oer a datgan nad oedd hi'n ofni bellach. Dywedodd am Dyddgu a'r busnes a chwarddodd ar eironi ei menter newydd.

"Fasa chdi 'di bod wrth dy fodd yn gwylio. Bechod, 'de."

Roedd hi wedi neidio wrth glywed canghennau yn torri o dan bwysau rhyw anifail yn y pellter a rhedeg am adref heb aros am eiliad i dynnu gwynt. Wrth gyrraedd y cae y tu ôl i'w thŷ roedd wedi taflu ei hun ar y gwair a syllu'n hir ar y lleuad cyn lluchio ei fflasg ymhell i'r coed trwchus yr ochr arall i'r ffens. Camodd i'r gwely yn gwybod mai yfory oedd diwrnod cyntaf y peidio gwylio yn y nos.

Roedd yr yfory hwnnw yma a Morfudd yn llawn syniadau. Bu'n chwilota ar y we ers ben bore am straeon merched a oedd yn ymwneud â'r diwydiant rhyw. Roedd pob stori yn addysg a phob gwers yn ei darbwyllo ei bod yn gwneud y peth iawn. Roedd y merched yma'n trin eu cyrff mewn modd nad oedd wedi gwneud synnwyr i Morfudd tan rŵan.

Berwai ei phen gydag awgrymiadau am sut i ddatblygu'r fenter wrth iddi weld bod lle iddi hi yng nghanol y digwydd. Roedd ei sgiliau swyddfa'n dal ganddi er fymryn yn rhydlyd. Byddai'n gaffaeliad i unrhyw gwmni bach.

"Jest tyrd i mewn!" gwaeddodd wrth glywed Dyddgu ar y grafel tu allan. "Dos drwadd i'r stafell haul i mi gael rhannu syniadau'r busnas efo chdi!"

"Pa fusnes?" meddai'r llais o'r cyntedd.

Cododd Morfudd ei phen. Yno'n sefyll yn y drws roedd Mali a'i hwyneb di-wên.

"Mali! Do'n i'm yn dy ddisgwyl di."

"Pa fusnes?"

"Busnes?" meddai Morfudd i geisio prynu eiliadau.

"Ia. Ddudist di rŵan bo chdi isho rhannu syniadau'r busnes."

"Do 'fyd."

"Pwy ti'n ddisgwyl?" gofynnodd Mali.

Roedd Morfudd yn siŵr bod Mali'n galetach nag arfer.

"Be sy'n mynd ymlaen, Morfudd?"

"Dim byd siŵr. Mae... Dyddgu'n cychwyn ryw fusnas bach llnau... a... mae hi 'di gofyn i mi... feddwl am syniadau... enwau a ballu."

"Dyna pam mae hi wedi cymryd swydd Jano, ia? Cega arni ar y stryd a'i bygwth hi. Dynes sydd wedi bod yn rhan o'r teulu erioed."

Doedd Morfudd erioed wedi clywed Mali yn siarad fel hyn o'r blaen.

"Mae 'na betha ti'm yn ddeall o ran Jano."

"Mae 'na lot o betha dwi'm yn ddeall."

Crynodd Morfudd a llithro ei llaw i lawr cefn ei throwsus i blannu ei hewinedd yn ddwfn i waelod ei chefn.

"Stedda," meddai Mali a phwyntio at y gadair wrth ymyl y bwrdd.

Doedd Mali ddim wedi disgwyl ymddwyn fel hyn. Roedd wedi cerdded i fyny i geisio ymddangos yn glên ac i geisio tynnu gwybodaeth yn araf o'i llysfam. Ond roedd ei gweld mor hapus ac yn amlwg ar berwyl cudd wedi ei chythruddo a'i gwthio i'w chroesholi.

Gwthiodd Morfudd ei hewinedd yn ddyfnach i'w chroen i deimlo dim ond poen.

"Oedd Dad yn dy drin di'n wael?" meddai Mali fel bwled.

Syllodd Morfudd yn syfrdan.

"Roedd o'n gneud bywyd yn anodd ar brydiau, oedd," cynigiodd yn amwys.

"Oedd o'n dy fychanu di a dy reoli di?"

Ni wyddai Morfudd beth oedd yr ateb cywir. Caeodd

ei llygaid a gadael i'r lluniau poenus lenwi'r gwacter yn ei phen.

"Oedd."

Cofiodd Morfudd am y silffoedd gwag a'r bocsys a ddiflannodd o'r swyddfa. Roedd rhaid bod ystyr i berwyl yr holi.

"Iw-hw!" meddai'r llais o gyfeiriad y drws ffrynt.

Llamodd Dyddgu i mewn fel tylwythen deg yn cario lamp fawr a bocs llawn teganau rhyw. Yn hongian dros ochr y bocs roedd pâr o gyffion dwylo pinc fflwfflyd a chlustog ac arni'r geiriau 'Deeper and Harder'.

"Ti'n cofio Dyddgu, dwyt?" meddai Morfudd gan neidio a gosod ei hun rhwng y bocs a Mali.

"Yndw. Be dach chi'n neud?"

Doedd Dyddgu ddim yn gwybod sut i stopio'r afon o gelwyddau bach a ddechreuodd lifo o'i cheg. Doedd dim yn gwneud synnwyr ond roedd ei hymdrech i achub Morfudd yn un lew.

"Ryw *photoshoot* ffyni ar gyfar gwefan bach ddiniwad fi ydio, rili," meddai ar ddiwedd ei llith.

"Diniwed?" gofynnodd Mali gan gyfeirio at y geiriau ar y glustog.

"Ia. Wel... dwi jest 'di dod â be o'dd gin i'n tŷ," meddai yn palu twll iddi hi ei hun.

Edrychodd Mali o un i'r llall. Doedd yr un ohonyn nhw'n cynnig mwy o eglurhad nac yn symud o'u hunfan. Daeth chwerthin nerfus o waelodion Dyddgu.

"Dwi'm isho gwbod be sy'n mynd ymlaen yma ond dan ni angen siarad," meddai Mali a chamu heibio i Dyddgu oedd ar fin tagu yn ceisio rheoli ei hun.

Dilynodd Morfudd hi i'r cyntedd yn teimlo fel merch fach wedi ei dal yn gwneud drygau.

"Mae gen i hawl i wybod be sydd wedi bod yn digwydd yn fy nhŷ fy hun. A be ddigwyddodd i Dad."

Roedd ei geiriau yn fygythiad clir. Caeodd y drws yn glep ar ei hôl.

Roedd Dyddgu'n eistedd wrth y bwrdd a gwydrad o ddŵr o'i blaen. "Dwi mor sori. Dwi bob tro'n chwerthin pan dwi'n nerfus."

"Nid dy broblem di 'di hon," meddai Morfudd.

Doedd Mali ddim wedi siarad fel hyn o'r blaen. Roedd yna gynddaredd ynddi na welodd erioed.

"Dio'm mor ddrwg â hynna dwi'n siŵr, sdi," cynigiodd y ferch ifanc yn ddiniwed.

Gwyddai Morfudd nad oedd hynny'n wir. Roedd pethau'n waeth o lawer. Roedd yn siŵr o hynny. Wedi esgusodi ei hun daeth y panig arferol i'w gwasgu a'r llaw gyfarwydd i daro ei boch. Gorweddodd ar lawr yr ystafell molchi i deimlo'r teils oer ar ei chroen. Gwyddai fod y rhwyd yn cau.

Cyrhaeddodd Mali'r swyddfa a gyrru neges destun i Jano a'i mam. "Dewch draw i'r swyddfa fory. Angen eich llofnod."

*

Wedi noson ddi-gwsg yn llawn ôl-fflachiadau gwyddai Morfudd bod rhaid iddi gael tabledi cysgu. Cerddodd i'r dref gan ei bod yn ddi-gar.

Wrth iddi gyrraedd y sgwâr dechreuodd fwrw glaw. Glaw trwm sydyn. Rhedodd i'r caffi agosaf i fochel. Roedd hanner y siopwyr wedi cael yr un syniad. Roedd y caffi'n llawn o bobl yn siarad a'r stêm yn codi o'u cotiau gwlyb. Gwelodd fwrdd bach i un o flaen y ffenest. Cythrodd ato cyn i rywun ddwyn ei lle.

Fel arfer byddai wrth ei bodd yn edrych ar bobl yn cerdded heibio. Yn enwedig y rhai y bu'n eu gwylio. Byddai rhai'n codi llaw arni heb wybod ei bod wedi eu gweld drwy eu ffenest yn y nos. Prin fyddai hi'n cael sgwrs efo neb. Gwyddai fod pobl yn ei diffinio fel person pell. Roedd hi wedi dod i arfer efo hynny. Ond nid oedd yn deimlad braf. Gan bod Dafydd wedi ei hynysu am flynyddoedd roedd pobl yn dueddol o'i hanwybyddu. Diolchodd am hynny heddiw.

Wedi archebu ei phaned a'i chacen, cyfrodd yr wynebau cyfarwydd ar y byrddau eraill. Dim ond dau, diolch byth. Gwenodd yn sydyn ar un ohonynt ac edrych i lawr cyn iddi feddwl am ddechrau cynnal sgwrs. Ymwelwyr oedd y gweddill, roedd yn eithaf siŵr.

Wrth wylio pobl heb ambaréls yn rhedeg o un siop i'r llall drwy'r glaw fe dynnodd rhywbeth ei sylw. Roedd hi'n grediniol bod Mali wedi rhedeg i'r swyddfa dros y ffordd. Doedd hi byth yn gweithio yn Nolgellau ar ddydd Mawrth. Roedd rhywbeth o'i le.

Yna, nesaodd yr ambarél a welodd droeon yn ei chyntedd. Roedd y corff oddi tani yn dilyn ar gynffon ei llysferch. Dim ond un ambarél o'r fath oedd yn Nolgellau. Ambarél 'Yeah it f***** rains in Benidorm' o eiddo Jano.

Dechreuodd corff Morfudd grynu wrth i'r dafnau glaw a lithrodd i mewn drwy gefn ei chôt gyrraedd ei hesgyrn. Pan redodd Tony a Rhian at yr un adeilad gan rannu'r un ambarél fe wyddai fod rhywbeth mawr ar droed.

A dyna pryd y digwyddodd.

Pingiodd ei ffôn.

Agorodd neges gan y rhif anhysybys.

Llanwodd y sgrin â delweddau rhyw a synau brwnt. Ceisiodd atal y llif ond pwysodd y botwm sain a daeth y ffieidd-dra i daro'r awyr laith. Hi a Dyddgu. Fflachiadau o'u cyrff. Bronnau dan y lloer. Gwefusau. Yn araf. Yn gynt. Edrychodd yn wyllt o'i chwmpas a diolch bod y lle mor llawn. Cododd fel milgi a rhedeg allan i'r glaw.

"Sgiws mi," gwaeddodd y ferch ar ei hôl. "Dach chi'm 'di talu!"

Plymiodd Morfudd ei llaw i'w phoced. Crensiodd y papur decpunt a'i daflu at y ferch. Llamodd heibio'r siopau ar y sgwâr a'r swyddfa gyfreithiol ar y gornel. Heibio'r Siop Trin Gwallt a'r eglwys a'r tai bach carreg. Heibio i'r garej a chartref preswyl ei mam. I fyny ac i fyny. Yn gynt a chynt. Wrth yr ail gornel roedd rhaid iddi gael ei gwynt ati. Arllwysodd y glaw dros ei hwyneb a'i gwallt fel cynffonnau llygod dros ei hysgwyddau.

Sugnodd yr allt bob cryfder o'i choesau wrth iddi ddringo i fyny am y tŷ. Allai hyn ddim bod yn wir. Safodd eto ar ganol yr allt a thynnu ei ffôn o'i phoced. Oedd. Roedd yno. Daeth nerth i'w choesau eto a'i chario yn drwm at ei drws cefn. Roedd y glaw yn gorlifo'n un stribedyn o'r landar llawn mwsog a phridd dros y drws. Safodd Morfudd oddi tano a gadael i'w rym daro ei thalcen. "Brifa fi," meddai wrth deimlo'r dŵr.

Agorodd y drws a syrthio i'r llawr yn y cyntedd. Wrth weld ei hun yn un swp yn y drych rhoddodd slaes galed i'w boch a chic i'w hadlewyrchiad. Torrodd y gwydr yn deilchion o'i chwmpas.

Rhedodd i'r stafell gefn a gafael yn y botel win coch agosaf ac eistedd wrth y bwrdd i gael golwg iawn ar y budreddi ar ei sgrin.

Roedd y cyfanwaith yn bum munud o hyd o dan y teitl: 'Milf and Young Lover in Mountain Sex Studio'. Yn amlwg roedd rhywun wedi bod yn eu gwylio am sbel. Roedd Morfudd yn dawnsio'n noeth yn yr ardd a Dyddgu yn ei gwylio yn y pellter.

Golygwyd fideo Dyddgu yn yr ystafell sbâr i ryngdorri'n gelfydd â delweddau allanol o'r tŷ i ddangos eu lleoliad yng nghesail y Gader. Daeth clipiau o Morfudd yn sbecian ac yn yfed gwin ar fedd ei gŵr i oleuo'r sgrin. Roedd y cyfan yn slic a sydyn ac wedi ei osod i gerddoriaeth fudr-rywiol. Mewn arddull ffilmig araf roedd Dyddgu'n cario lampau a theclynnau rhyw mewn bocsys i'r tŷ a'r olygfa olaf yn tyfu'n gresiendo o'u noethni'n yr ardd yn un uchafbwynt swnllyd a ffiaidd.

Darllenodd Morfudd y geiriau olaf ar y sgrin: 'Proud Moment for Solicitor stepdaughter'.

Ffurfiodd restr yn ei phen. Pwy oedd am ei niweidio?

Jano, Tony, Charlie, Rhian.

Daeth neges arall.

'This will cost you. £10,000 or this will be everywhere by tomorrow night. Leave D.D. alone.'

Gwyddai o'r frawddeg olaf mai campwaith Charlie Roberts oedd o'i blaen.

Roedd rhaid iddi balu'n ddwfn am y cryfder mewnol i'w hachub hi. Meddyliodd am y ferch ifanc oedd yn dibynnu arni am ddyfodol gwell.

'Tyrd draw i'r tŷ erbyn 4pm. Fydd yr arian yn barod,' teipiodd a'i bysedd yn llithro o allwedd i allwedd.

'How can I trust you?' teipiodd yr hogyn.

'Tŷ 4pm neu dim pres. Dewis di.'

Dewisodd yn syth. '4pm.'

Cofiodd yn sydyn am Mali a Jano yn y swyddfa gyfreithiol. Rhedodd i'r tŷ bach a gwthio ei bysedd i gefn ei gwddf. Wrth i'r hylif coch dasgu o'i ffroenau rhoddodd yr un slaes olaf dros ei thalcen.

Cerddodd 'nôl drwy'r darnau mân a orchuddiai'r cyntedd. Cuddiodd y tameidiau lleiaf yn y rhychau o dan ei hesgidiau a chlywodd y glaw yn chwipio'r tŷ. Roedd yr un pistyll yn rhedeg dros y landar uwchben y drws yn disgyn yn galed ar y llechen oddi tano. Roedd y sŵn wedi ei chynddeiriogi ers misoedd.

Pan ddeuai'r glaw, fe ddôi'r pistyll swnllyd i'w hatgoffa o'i diogi a'i bod yn garcharor mewn hen dŷ a grebachai o'i chylch.

Rhedodd i'r glaw er mwyn rhoi diwedd ar y sŵn unwaith ac am byth. Agorodd ddrws y sied ac estyn am yr ysgol bren yn y gornel. Tasgodd y glaw oddi ar ei bochau wrth iddi geisio cario'r ysgol a'i gosod yn erbyn y wal garreg drwchus.

Wrth ei dringo chwyrlïodd ei phen gan effaith y tabledi a'r gwin.

Camodd i'r llawr ac eistedd ar y ris olaf gan afael yn ei gwallt gwlyb. Roedd y draeniau yn llenwi o'i chwmpas. Taflodd ei hun yn un lwmp o flaen y draen a thynnu'r dail a'r pridd o'i waelod. Roedd y slwj drewllyd yn ei dwylo fel y slwj o'i mewn. Y tu mewn oedd yn pydru fel yr hen dŷ.

Gafaelodd yn yr ysgol ac edrych i fyny i'r awyr dywyll. Yno, ar y ris waelod y daeth popeth yn glir.

Cerddodd i'r gegin ac eistedd wrth y bwrdd i gynllunio.

Roedd cenfigen Charlie wedi ei yrru i wylio ei gariad bob awr o bob dydd. Roedd ei salwch wedi ei wthio i flacmelio mewn modd ffiaidd a defnyddio delweddau o'r un a garai i sicrhau y câi gelc yn ei boced a chariad na fyddai'n cael gadael y tŷ. Doedd Morfudd ddim am adael i hyn ddigwydd eto. Daeth geiriau'r gân i'w thywys i ryddhau Dyddgu o'i phoen.

'Defnyddia dy ben i dy ddefnydd dy hun.' 'Llwytha'r gwn cyn ei saethu, Mae'r gwir yn dy ben yn gelwydd.' 'Marw 'nei di os na 'nei di fyw.' 'Mi fydd 'na garu, mi fydd 'na alaru.' 'Dwi'n dy weld di'n ei gwylio hi.'

Curodd ei chalon yn uwch yn ei chlustiau gan lenwi ei garddynau a'i thraed. Roedd gweilliau ei meddwl yn gwau'r oriau nesaf i'w lle.

Gwyddai na fyddai Charlie yn gallu gwrthod pres. Gallai deimlo ei farustra yn treiddio drwy'r teclyn ar y bwrdd.

Roedd hi'n barod amdano.

*

Agorodd Morfudd y drws mawr derw am un munud i bedwar a gwenodd wên lydan.

"Ty'd i mewn."

Siglwyd yr hogyn yn syth gan ei hymarweddiad a'i gwên groesawgar.

Cerddodd Morfudd yn fud drwy'r gwydr mân.

Glynodd y darnau i esgidiau Charlie a chreu sŵn yn ei ben.

"Dilyn fi," meddai a'i arwain i'r stafell ffrynt.

Hon oedd yr ystafell orau i'w osod ynddi. Roedd y nenfwd uchel, y lle tân mawr a'r trawstiau derw yn ddigon i godi ofn. Suddodd i'r soffa, wedi ei lowcio gan bopeth o'i amgylch. Ceisiodd sythu ei gefn a chodi yn uwch ond roedd y clustogau meddal yn llarpio ei gorff ac yn sugno ei hyder brau.

Gwyliodd Morfudd ei lygaid yn crwydro o ddarlun i ddarlun wrth iddo brisio'r pethau o gwmpas ei thŷ.

Gallai Morfudd flasu ei ofn. Plentyn oedd yn eistedd o'i blaen. Plentyn yn trio'i lwc. Chwaraeodd ei fysedd nerfus efo cornel ei charthen wlân.

"Rhag dy gywilydd di yn bygwth fel'na." Roedd ei hanner gwên yn creu ias. "Mae be ti 'di neud yn ffiaidd," meddai.

"Mi alla i ddeud yr un peth am be welish i. Be ma dynes oed chdi yn neud yn mynd yn *obsessed* efo hogan ifanc?"

"Does 'na ddim byd fel'na rhwng Dyddgu a fi. Sdim rhaid tynnu popeth i lawr i dy lefel di. Dan ni'n helpu'n gilydd."

"Dach chi'n chwara o gwmpas tu ôl i 'nghefn i."

"Paid â bod mor pathetic," meddai a'i hyder yn blodeuo o'i thu mewn.

"Be 'di hwnna?" gofynnodd Charlie wrth sylwi ar y gwaed ar dop ei choes ble bu'n gwthio tamaid o'r gwydr o'r cyntedd yn araf i mewn i'w chroen.

"Ddisgynnish i pan welish i'r fideo a chwalu'r drych yn deilchion. Faswn i 'di gallu gwaedu i farwolaeth," meddai yn chwarae ei rhan i'r dim.

Gwyliodd Charlie hi'n cerdded am y gegin, y dafnau bychain o waed wedi gadael eu hôl ar ei chadair yn y gornel. Rhoddodd ei ben i lawr wrth i'r cydwybod a dylinodd hi'n feistrolgar ohono ei gnoi.

Ebychodd Morfudd yn wan o'r gegin wrth iddi bwyso cadach golchi llestri ar ei throwsus tamp. Digon gwan ond digon uchel i gyrraedd clustiau'r hogyn ifanc dwl. Roedd hi'n barod i chwarae.

"Reit. Busnes," meddai a cherdded yn ôl gan wasgu'r cadach i atal y llif.

Eisteddodd Charlie'n fud.

"Wyt ti'n gwylio bob dim mae hi'n neud, y basdad bach?"

Dychrynodd y bachgen o'i chlywed yn ei alw wrth enw o'r fath. Fo oedd wedi dod yno i'w bygwth hi ond roedd ei hymddygiad yn awgrymu mai fo oedd yn ei dwylo hi.

"Dwi ddim 'di dod yma i siarad am Dyddgu a fi. Os ti'm yn talu fi, ma pawb yn cael gweld be dach chi'n neud yn fanma."

Credai ei fod ar fin ei gorchfygu. Bwydodd hyn ei hyder

newydd hi. Gwyddai beth fynnai Dyddgu iddi ei wneud. Roedd rhaid atal hwn rhag datblygu'n ddinistriwr fel y lleill.

"Dangos o i'r byd," datganodd Morfudd.

Roedd wyneb Charlie yn syfrdan.

"Ti'm yn siriys?" gofynnodd.

"Hollol siriys, Charlie. Dangos o i pwy bynnag tisho. Sgin i'm byd i'w golli."

"Gin ti bob dim i'w golli'r bitsh wirion."

"Dyna lle ti wedi camddeall," meddai a'i hwyneb caredig yn disodli eto.

Tynhaodd ei gorff yn barod i ddod amdani.

Tynnodd Morfudd y cadach sychu llestri o'i glin i ddatguddio'r gwn yn ei llaw. Doedd dim bwledi ynddo. Rhyw hen beth o eiddo tad Dafydd oedd o. Rhywbeth oedd wedi bod mewn casyn yn yr atic ers cyn cof.

"Mae gen i ddarn anferth o wydr yn fy nhrowsus hefyd. Un neu'r llall fydd hi."

Disgynnodd Charlie yn ôl i'r soffa. Gwyddai fod ei fywyd mewn peryg a bod y ddynes o'i flaen wedi colli ei phen.

Ond wyddai o ddim ei bod wedi lladd o'r blaen.

"Mi welish i 'nyfodol gynna ar y ffordd o'r dre. Carchar neu uned seiciatryddol. Un neu'r llall."

"Ond chei di ddim carchar am be dwi 'di ddangos i chdi," meddai'n syllu ar y gwn. "Wir!"

Chwarddodd Morfudd ar ei dwpdra.

Lluchiodd Charlie ei hun ar y llawr a phenlinio o'i blaen. "Plis. Plis, Morfudd. Dwi'n sori."

"Am be ti'n sori?" meddai'n camu'n nes.

"Am drio breibio chdi. 'Na'i adael i D.D. ddod yma bob dydd os roi di hwnna lawr."

"Gadael?" poerodd i'w wyneb "Dim dy le di ydi GADAEL iddi neud dim."

"Dallt hynna rŵan," meddai a llyncu ei boer.

Pwysodd Morfudd yn ei blaen a thynnu'r tamaid gwydr o gefn ei throwsus rhag ofn iddo amau bod y gwn yn wag. Penliniodd ar fraich y soffa gan bwyntio'r teclyn at ei geilliau a'r gwydr at ei ben.

"'Na'i byth ddeud wrthi be i neud eto. Dwi'n gaddo," plediodd.

"Dyna oedd o'n ddeud bob tro."

"Dim fo dwi. Dwi ddim yn ddrwg. Wir."

Roedden nhw i gyd yn ddrwg. Roedd hi wedi dysgu hynny bellach. Camodd yn ôl i gael golwg well ar yr ofn ar ei wep.

Gwelodd yntau ei gyfle. Lluchiodd ei hun tuag ati i geisio cipio'r arfau o'i llaw.

Ymatebodd hithau a llamodd bwled o'r gwn gan chwalu llun ar y wal. Dychrynodd y ddau. Roedd y gwn wedi ei lwytho.

Rhedodd Morfudd a gosod ei chefn ar y drws. "Tria hynna unwaith eto a fydd y nesa tu mewn i ti," meddai a'r gwaed yn byrlymu drwy ei gwythiennau.

"Fydd 'na rywun di cl'wad y shot. Fydd y *police* ar eu ffordd," gwaeddodd Charlie.

"Ti'n gefn gwlad rŵan. Neb yn cl'wad drwy heina," meddai gan bwyntio at y waliau tew.

Roedd y gwn wedi tanio Morfudd hefyd.

"Tyrd efo fi," meddai'n agor y drws.

Safodd Charlie a cherdded o'i blaen i lawr y coridor at y drws ffrynt a'r gwn fodfeddi o'i ben. Roedd y pistyll swnllyd yn chwarae ei ran i'r dim. Llifodd un stribyn trwm i'w galw ato.

"Tisho i mi adael i chdi fynd?" gofynnodd wrth ei osod o dan y stribedyn dŵr.

"Oes," plediodd yntau a'r llif yn brifo'i weflau.

Doedd gan Morfudd ddim bwriad o'i ryddhau. Roedd yr anifail bach yn ei chawell bellach. Roedd popeth yn glir yn ei phen.

"Glanha'r landar 'na mewn llai na dau funud a gei di fynd," meddai gan afael yn dynn yn y gwydr a'r gwn.

"Wir?"

"Dau funud. Os fydd 'na ddim pistyll yn llifo dros y top. Gei di fynd."

Gwyddai Charlie fod rhaid ufuddhau.

Edrychodd Morfudd drwy'r ffenestr ar gloc wal y gegin. Wrth i'r bys eiliadau hercio at y deuddeg dechreuodd gyfri. "Mewn... Tri, dau, un."

Llamodd Charlie i fyny'r grisiau pren a phlannu ei fraich gyfan yn y deiliach a'r pridd. Roedd y tameidiau trwm yn hitio'r llawr ac yn malu ar y grafel oddi tano. Daliodd Morfudd i gyfri'n ôl wrth i Charlie deimlo'i chwys yn cymysgu efo'r dafnau gwlyb.

Rhoddodd Morfudd y gyllell a'r gwn ar y llawr a gwasgu ei bysedd yn dynn am y ris bren yn ei dwylo oer. Llusgodd yr ysgol yn ôl at ei chorff a thynnu â'i holl nerth nes daeth y pren yn rhydd o'r wal.

Caeodd ei llygaid ac anadlu'n hir.

Ddaeth dim smic o geg y bachgen wrth i'w ben daro'r cerrig bach oddi tano. Cododd Morfudd y garreg fawr wrth ei throed a chwalu ei benglog yn ddarnau. Gwyliodd ei gorff yn ysgwyd ac yna'n llonyddu. Rhoddodd ei chlust wrth ei wefusau. Roedd rhaid bod yn berffaith siŵr. Yn union fel y gwnaeth yn siŵr wedi iddi wthio ei gŵr o ben y grisiau bron i dair blynedd ynghynt.

Cerddodd yn ôl drwy'r gwydr mân ac eistedd ar y soffa. Cyn iddi gael gwared o'r gwn a'r gwydr fe ddeialodd y rhif.

Dim ateb.

"Ellith o'm dy frifo di rŵan. Mae Charlie wedi cael damwain. Mae o wedi mynd," sibrydodd yn dawel i'r ffôn.

Arafodd Dyddgu'r car a thynnu i'r ochr pan welodd fan diogel. Gwrandawodd ar y llais cyfarwydd a llifodd ei gwaed yn oer.

"Heddlu, os gwelwch yn dda."

*

Wedi i Mali ddarllen yr adroddiad am y tro olaf i'r tri arall o gwmpas y bwrdd daeth golau glas i lenwi'r awyr laith y tu allan a seirens i atseinio oddi ar yr hen adeiladau cerrig o gwmpas y sgwâr.

"Blydi hel, ma'n nhw ar frys i rwla, dydyn!" meddai Jano wrth gythru at y ffenest. "Mae 'na *shitloads* ohonyn nhw!"

"Diolch i chi o waelod calon," meddai Mali. "Mae'r datganiadau'n gryf. Mi fydda i'n cysylltu efo nhw bore fory syth bin."

Safodd y pedwar ar eu traed gan wybod bod yr hyn a glywsant yn fwy na digon i'w gyflwyno i'r heddlu er mwyn ystyried dwyn achos. Wrth ddod at y drws rhoddodd Tony ei law ar ysgwydd y ferch ifanc.

"Dan ni gyd yn hyn efo'n gilydd. Os nawn ni ddim rŵan, fyddwn ni byth yn gwbod."

"Ga'i ddiolch i chi hefyd am wrando arna'i a gadael i mi gyflwyno tystiolaeth anffafriol am Dad. Tydi o ddim wedi bod yn hawdd i'r un ohonan ni."

Gwyddai pawb fod hyn wedi bod yn fwy anodd i Mali. Synnai Rhian ar ei gallu i fod mor wrthrychol er maint ei chariad at ei thad.

"Dwi dal yn caru Dad yn fawr. Ond be sy'n iawn sy'n iawn yn y diwedd, 'de, Mam."

Gwenodd Rhian a gafael yn llaw ei merch.

"Ti wedi gneud yn siŵr y bydd yr heddlu yn clywed y stori'n llawn, cariad. Mi geith Morfudd bob chwarae teg."

"A'r driniaeth gywir gobeithio."

Wedi twrio drwy bopeth efo crib mân ac ystyried ei hymddygiad diweddar roedd Mali yn flin na fyddai wedi deall yr arwyddion cyn hyn.

"Os 'di hi wedi neud o, mae hi'n haeddu jêl," ychwanegodd Jano. "Dwi jest yn gobeithio bo chdi'n iawn efo bob dim arall."

"Dwi'n gwbod mod i'n iawn, Jan. Mae 'na ormod o dystiolaeth i fi beidio bod," meddai gan gamu allan i'r sgwâr.

Gwibiodd car plismon rownd y gornel.

"Blydi hel! 'Sa chi 'di gallu'n lladd i!" gwaeddodd Jano ar eu holau. "Cerwch i ddal mwrdrwrs go iawn yn lle mynd i ddal potsiwrs a ffarmwrs petrol coch!"

Chwarddodd Mali a'i mam wrth i Tony rowlio ei lygaid a gwirioni'r un pryd. Gafaelodd y pedwar yn dynn am ei gilydd a ffarwelio am y tro.

"Be am wydrad bach yn y bistro cyn i mi ei throi hi?" meddai Mali wrth ei mam.

Cerddodd y ddwy i lawr y lôn fach gul a'u breichiau ynghlwm. Gosododd y fam ei phen ar ysgwydd ei merch am eiliad a chau ei llygaid. Gwyddai y byddai fory yn ddiwrnod mawr.

Wrth agor drws y bistro daeth sŵn seiren arall i dorri ar y nos. "Am y topia 'na ma'n nhw'n mynd dwi'n siŵr," meddai Mali. "Gobeithio bod o'n ddim byd mawr."

Eisteddon nhw yn eu cornel glyd wrth ymyl y tân.

"Ew, be dan ni 'di neud i gael y pleser o gael chdi'n dre ar nos Fawrth?" gofynnodd Emma o ochr arall y bar.

"Gwaith, 'de, Ems. Gormod ohono fo!"

"Gwin coch?" meddai gan wybod yr ateb.

"Yr un Eidalaidd 'na plis," atebodd Mali. "Gwranda, Mam. Rhaid i chdi beidio poeni. Mae'n rhaid i ni neud hyn. Er mwyn Dad a Morfudd."

"Dwi mond yn gobeithio bo chdi'n barod am be sy o dy flaen di."

"Mi ydw i, Mam. Gaddo."

Gwenodd Rhian eto wrth weld ei merch yn codi'r gwydrad gwin coch i'w gwefusau. Doedd dim gwadu bod y pethau gorau i gyd wedi eu trosglwyddo o'r tad i'r ferch.

"Dwi 'di bod yn meddwl, Mam. Fasa hi'n syniad i mi drio cysylltu efo'r Dyddgu 'ma rhag ofn? Jest i ofyn amball beth a rhoi chydig o gefndir iddi."

"Ia falla. Ond dim heno, cariad. Rhaid i chdi ymlacio heno."

"Mi wna i," meddai Mali yn estyn am ei gwydrad gwin.

Syllodd y ddwy ar y tân braf yng nghornel yr ystafell gysurus yn gwybod eu bod ar fin cael newid eu byd.

*

Tydi Morfudd ddim yn ymwybodol o'r holl ferw oddi tani.

Mae hi'n gwrando ar eiriau ei hoff gantores ac yn gorwedd ar y gwely yn yr ystafell sbâr. Gwela grac yn y plastar ar y to. Bydd rhaid gorchuddio hwnna, meddylia.

Gafaela yn ei ffôn. Disgwyl am alwad gan Dyddgu mae hi. Er iddi adael dwy neges, tydi hi ddim wedi ffonio'n ôl. Mae'r golau glas sy'n dechrau dawnsio ar y nenfwd yn debyg i'r gloynnod byw a'r adar bach a blodau'r haul sydd yn dawnsio y tu mewn iddi hithau.

Daw cnoc drom ar y drws derw. Mae'n rhaid ei bod wedi anghofio ei goriad.

Rhy amser i Dyddgu edrych o'i chwmpas a gwerthfawrogi'r hyn a wnaeth er ei mwyn hi.

Gobeithia o'r diwedd y gall gysgu'n dawel ac y caiff Dyddgu'r rhyddid i fod yn hi.

Mae'n estyn am y ffiguryn plastig wrth ochr y gwely. Gwena.

'Kindness is Everything.'

Gwir pob gair. Doedd dim yn y byd yn bwysicach na bod yn glên.

Try'r gerddoriaeth yn uwch i foddi'r synau hyll o flaen y tŷ.

Hefyd gan yr awdur:

£8.99

Hefyd o'r Lolfa:

£9.99

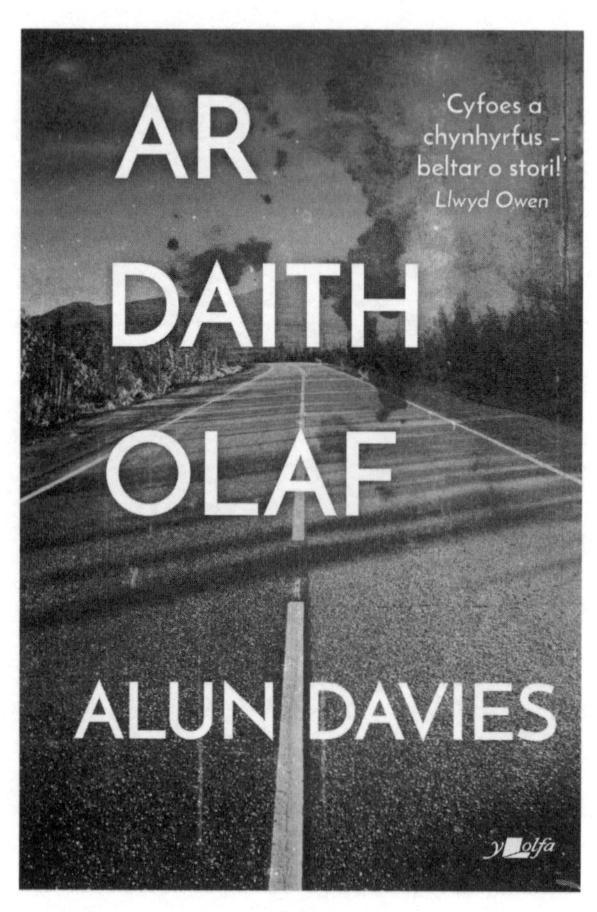
AR
DAITH
OLAF
'Cyfoes a chynhyrfus – beltar o stori!'
Llwyd Owen
ALUN DAVIES
y lolfa

£8.99

'Chwip o nofel sy'n mynd â'r darllenydd
ar daith igam-ogam ar draws Cymru.'
IFAN MORGAN JONES
LLWYD OWEN
RHEDEG
I PARYS
y olfa

£8.99

£9.99